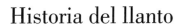

Historia del llanto

Alan Pauls

Historia del llanto

Un testimonio

EDITORIAL ANAGRAMA
BARCELONA

Diseño de la colección:
Julio Vivas
Ilustración: *Ezeiza Paintant* (detalle), 2006, Fabián Marcaccio,
Malba-Colección Costantini

Primera edición española: noviembre 2007
Primera edición impresa en Argentina: noviembre 2007
Segunda edición impresa en Argentina: febrero 2008

© EDITORIAL ANAGRAMA, S. A., 2007
Pedró de la Creu, 58
08034 Barcelona

ISBN: 978-84-339-7161-6
Depósito Legal: B. 38916-2007

La presente edición ha sido realizada
por convenio con Riverside Agency, S.A.C.

Impreso en Argentina

Grafinor S.A. - Lamadrid 1576, Villa Ballester, Pcia. de Buenos Aires

A una edad en que los niños se desesperan por hablar, él puede pasarse horas escuchando. Tiene cuatro años, o eso le han dicho. Ante el estupor de sus abuelos y su madre, reunidos en el living de Ortega y Gasset, el departamento de tres ambientes del que su padre, por lo que él recuerde sin ninguna explicación, desaparece unos ocho meses atrás llevándose su olor a tabaco, su reloj de bolsillo y su colección de camisas con monograma de la camisería Castrillón, y al que ahora vuelve casi todos los sábados por la mañana, sin duda no con la puntualidad que desearía su madre, para apretar el botón del portero eléctrico y pedir, no importa quién lo atienda, con ese tono crispado que él más tarde aprende a reconocer como el sello de fábrica del estado en que queda su relación con las mujeres después de tener hijos con ellas, ¡que baje de una vez!, él cruza la sala a toda carrera, vestido con el patético traje de Superman que acaban de regalarle, y con los brazos extendidos hacia adelante, en una burda simulación de vuelo, pato entablillado, momia o sonámbulo, atraviesa y hace pedazos el vidrio de la puerta-ventana que da al balcón. Un segundo después vuelve en sí como de un desmayo. Se descubre de pie entre macetas, apenas un poco acalorado y temblando. Se mira las manos y ve como dibujados dos o tres hilitos de sangre que le recorren las palmas.

No es la constitución de acero del superhéroe que emula lo que lo ha salvado, como se podría creer a primera vista y como se encargarán luego de repetir los relatos que mantendrán con vida esa hazaña, la más vistosa, si no la única, de una infancia que por lo demás, empeñada desde el principio en no llamar la atención, prefiere irse en actividades solitarias, lectura, dibujo, la jovencísima televisión de la época, indicios de que eso que normalmente se llama mundo interior y define al parecer a criaturas más bien raras, él lo tiene considerablemente más desarrollado que la mayoría de los chicos de su edad. Lo que lo ha salvado es su propia sensibilidad, piensa, aunque mantiene la explicación en secreto, como si temiera que revelarla, además de contrariar la versión oficial, lo que lo tiene perfectamente sin cuidado,

8

pudiera neutralizar el efecto mágico que pretende explicar. Esa sensibilidad, él no llega todavía a entenderla como un privilegio, que es como la consideran sus familiares y sobre todo su padre, lejos el que más partido saca de ella, sino apenas como un atributo congénito, tan anómalo y a sus ojos tan natural, en todo caso, como su capacidad de dibujar con las dos manos, que, festejada a menudo por la familia y sus allegados, no tiene antecedente alguno y no tarda en perderse. Porque de Superman, héroe absoluto, monumento, siempre, cuyas aventuras lo absorben de tal modo que, como hacen los miopes, prácticamente se adhiere las páginas de las revistas a los ojos, aunque menos para leer, porque todavía no lee, que para dejarse obnubilar por colores y formas, no son las proezas las que lo encandilan sino los momentos de defección, muy raros, es cierto, y quizá por eso tanto más intensos que aquellos en que el superhéroe, en pleno dominio de sus superpoderes, ataja en el aire el trozo de montaña que alguien deja caer sobre una fila de andinistas, por ejemplo, o construye en segundos un dique para frenar un torrente de agua devastador, o rescata en un vuelo rasante la cuna con el bebé que un camión de mudanzas fuera de control amenaza con aplastar.

Distingue dos clases de debilidad. Una, que valora pero sólo hasta cierto punto, deriva de un dilema moral. Superman debe elegir entre dos males: detener el tornado que amenaza con centrifugar una ciudad entera o evitar que un ciego que mendiga trastabille y caiga en una zanja. La desproporción entre los peligros, evidente para cualquiera, es para Superman irrelevante, incluso condenable desde un punto de vista moral, y es precisamente por eso, por la intransigencia que lo lleva a conferirles el mismo valor, por lo que queda en posición de debilidad y es más vulnerable que nunca a cualquier ataque enemigo. La otra, en cambio, es una debilidad orgánica, original, la única, por otra parte, que lo obliga a él, a sus cuatro años, a pensar en lo impensable por excelencia, la posibilidad de que el hombre de acero muera. Para que sobrevenga es absolutamente imprescindible la intervención de alguna de las dos llamadas piedras del mal, la kriptonita verde, que lo hace flaquear pero no lo mata, la roja, la única capaz de aniquilarlo, llegadas ambas desde su planeta natal como recordatorios de la vulnerabilidad que el mundo humano, quizá menos exigente, se empeña en hacerle olvidar. Si algo lo pierde es ese hombre de acero que, apenas expuesto a la radiación de los minerales maléficos, siente un vahído, entorna los párpados y, obligado a suspender en el acto lo que está haciendo, posa una rodilla en tierra, luego la otra, los hombros vencidos por un peso intolerable, y termina arrastrando su cuerpo azul y rojo como un moribundo. Es ése el que, como exportando al más allá de la página el efecto letal de la piedra, lo hiere también a él en el plexo nunca tan bien llamado solar, en el corazón de su corazón, con una fuerza y una profundidad de las que ninguna hazaña, por extraordinaria que sea, podrá jamás jactarse.

Si hay algo en verdad excepcional, eso es el dolor. Sólo hay una cosa en el mundo que puede causarlo, y esa cosa, mucho más que todas las acciones providenciales por las que Superman es reverenciado, es lo que pronto él pasa a temer, a esperar, a prever con el corazón en la boca cada vez que vuelve del kiosco y mientras camina sin detenerse, a riesgo, como más de una vez le ha pasado, de llevarse algo por delante, abre la revista recién comprada y se zambulle en la lectura. [...] El dolor es lo excepcional, y por eso es lo que no se soporta. Divide los episodios en dos clases incomparables, los episodios en que intervienen las piedras fatales y los que no. Desprecia a los segundos confinándolos al último cajón de su armario, el mismo en el que juntan polvo las revistas, juguetes y libros que su madurez va dejando atrás, que ahora detesta y que más tarde, cuando ya se siente fuera de su órbita de influencia, exhuma con arrobamiento y adora, testimonios del idiota cándido que ya no es pero con el que ahora no puede sino enternecerse. Si le preguntaran qué lo impresiona tanto, qué siente exactamente cuando ve el halo luminoso de las piedras acercándose al cuerpo del hombre de acero y tiñéndolo por un segundo de rojo o de verde y por qué se estremece de ese modo cuando, ya sin fuerzas, como desangrado, Superman queda tendido en el suelo, idéntico en su aspecto a como era antes, cuando vencía la gravedad y superaba la velocidad de la luz y nada en el mundo podía dañarlo, y sin embargo débil, completamente a merced de sus enemigos, él no sabría qué decir. No tiene palabras. No es de hablar mucho.

Lo que sabe es que el fenómeno es muy parecido al ardor que siente crecer del lado de adentro de las yemas de sus dedos los domingos, al caer la noche, cuando su padre lo despide en la puerta del edificio de Ortega y Gasset después de haber pasado el día juntos en Embrujo, Sunset, New Olivos o cualquiera de las piletas semipúblicas que tan pronto como empiezan los primeros calores del año, mediados de octubre, a más tardar principios de noviembre, ocupan sus salidas de fin de semana. Llegan a eso de las once, once y media de la mañana, cuando la poca gente que hay —en general mujeres solas de la misma edad que su padre, tan bronceadas que apostaría a que viven en un verano perenne, una suerte de estado tropical paralelo del que la pileta probablemente sea la capital, y unos pocos hombres también solos, también en malla, el rostro blindado por anteojos de sol que sólo se sacan para exhibir fugazmente las aureolas violáceas que la noche del sábado les ha hecho crecer alrededor de los ojos y, luego, para untarse los párpados con cremas, lociones, aceites que él, hasta el día de hoy, nunca sabe a ciencia cierta si protegen de las quemaduras o más bien las promueven– no ha llegado a ocupar todavía los mejores lugares del solario, el césped, el bar, las reposeras plegables. Al llegar, siempre el mismo orgullo: siente que no hay en toda la pileta nadie más joven que su padre. Pero no tanto por cuestiones de edad, en las que, dada la suya propia, sería el primero en declararse incompetente, como por la máscara de sordidez que la falta de sueño, los estragos del alcohol y el tabaco y la disipación sexual han estampado en todos los demás, dándoles ese aire de familia disimulado que sólo comparten los miembros de una misma raza viciosa. No más llegar, su padre se asegura un puesto en el pasto extendiendo la toalla a modo de mojón, siempre siguiendo la dirección del viento, de modo que no la desfiguren pliegues indeseados, y desaparece en el vestuario para cambiarse. Él, que siempre lleva la malla puesta debajo del pantalón, según una costumbre que contrajo muy pronto, por las suyas, y que mantiene a toda costa, aun con la incomodidad que hace del viaje en taxi desde el edificio de Ortega y Gasset hasta la pileta un verdadero calvario, se saca la ropa clavando los dos talones desafiantes en la toalla, acto con el que ratifica la posesión del territorio alrededor del cual orbitará todo el resto del día, y, como si tuviera que hacer algo para evitar que el orgullo que le causa la juventud de su padre lo ahogue, corre y se tira de cabeza en el agua. Nunca sabe si el agua está fría o si, como él, como el día mismo, incluso como el verano, que en rigor no ha hecho más que anunciarse, sólo es demasiado joven, pero se lanza en busca del fondo a toda velocidad, agitando los brazos y las piernas para que no se le congelen, toca la boca abierta del pulpo pintado en los azulejos del piso y sale propulsado hacia el otro extremo de la pileta, donde emerge unos segundos después con el pelo completamente chato, los párpados apretados, los pulmones a punto de estallar.

Puede que no se dé cuenta entonces, pero si al ganar el borde de la pileta se mirara la yema de los dedos con los que ha tocado la boca del pulpo, reconocería ya las rayitas verticales que más tarde, con los roces repetidos a que lo expone una rutina de actividades siempre idéntica —trampolín rugoso, zambullida, expedición a las fauces del pulpo, descanso junto al borde áspero de la pileta, búsqueda de las monedas, llaveros e

14

incluso relojes pulsera *water proof* que su padre echa sucesivamente a la pileta para entrenarlo en el arte del buceo, etcétera– y agravadas por la acción prolongada del agua, se transforman en suaves manchas rojizas que llama raspones y más tarde en ese enrojecimiento general, sin contornos definidos, que le hace creer por enésima vez que tiene los dedos en llamas, que en vez de dedos tiene fósforos de carne. En seis o siete horas de pileta, la piel se le ha adelgazado de tal modo que es casi transparente, tanto que le cuesta decidir, cuando se mira los dedos a la luz de la tarde que cae, si el rojo intenso que ve es el color de la sangre que hierve dentro de la yema o sólo el efecto de los rayos del sol que lo hacen recrudecer, atravesando sin resistencia la membrana debilitada. Ese mismo ardor, ese mismo adelgazamiento de la membrana que debería separar el interior del exterior, es lo que siente cuando Superman, en las páginas de la revista recién comprada, va sucumbiendo al resplandor criminal de las piedras malas. [...] El daño no es instantáneo. Tiene su lentitud. Lo que él reconoce como ardor en la serie de la piel y la pileta no es sino el modo en que resuena en él la agonía del hombre de acero a lo largo de los cuadritos que la despliegan. Es tal la proximidad con el superhéroe, tan brutal el desvanecimiento del límite que debería separarlos, que juraría que la mezcla de ardor, vulnerabilidad y congoja que siente alojada en el centro de su plexo viene directamente del brillo de la kriptonita dibujada en la revista. Una vez, de hecho, llega incluso a apagar la luz del velador de su cuarto para ver si las piedras malas siguen destellando en la oscuridad. El dolor es su educación y su fe. El dolor lo vuelve creyente. Cree sólo o sobre todo en aquello que sufre. Cree en Superman, en quien por otra parte es evidente que no cree, no importa la prueba contraria que aporte su pobre cuerpo de cuatro años enfundado en un traje de superhéroe atravesando el vidrio de la puerta-ventana del living de Ortega y Gasset. Cree cuando lo ve encogerse por acción de las piedras y boquear, rodilla en tierra, y quedar fuera de combate, empequeñecido, él, siempre tan gigantesco, a merced de sus archienemigos. En la felicidad, en cambio, como en cualquiera de sus satélites, no encuentra más que artificio; no exactamente engaño ni simulación, sino el fruto de un artesanado, la obra más o menos trabajosa de una voluntad, que puede entender y apreciar y a veces hasta comparte, pero que por alguna razón, viciada como está por su origen, siempre parece interponer entre él y ella una distancia, la misma, probablemente, que lo separa de cualquier libro, película o canción que representen o giren alrededor de la felicidad. [...] La dicha es lo inverosímil por excelencia. No es que no pueda hacer nada con ella. En un sentido más bien al contrario, como después de todo lo prueban él mismo, el oficio al que se dedica, su vida entera. Pero todo cuanto haga con Lo Feliz, como después, también, con Lo Bueno en general, está ensombrecido por la desconfianza –y por Bueno él entiende grosso modo el rango de sentimientos positivos que otros suelen llamar bondad humana, el más famoso, hasta donde él sepa, el cineasta japonés Akira Kurosawa, de quien ve y admira toda la obra con una sola excepción, la película precisamente llamada *Bondad humana*. Ese mero título, y poco importa lo bien que sepa que no ha nacido de la cabeza de Kurosawa sino de la del distribuidor local, basta para mantenerlo alejado de los cines donde la exhiben, y esto no sólo contra la opinión general, siempre sensible a la alianza extorsiva entre bondad y humanidad, o los elogios desvergonzados con que la crítica celebra su estreno, sino contra el arrobamiento de su padre, que en un primer momento, citando sin saberlo las palabras de los mismos críticos que viernes a viernes condena a arder en el infierno por ineptos, no duda en considerarla «la obra cumbre» de Kurosawa y objeta la reticencia de su hijo con escándalo, pero algunos años después, cuando la sustancia del conflicto ya es historia pero no su forma, recicla su vieja indignación en una gran escena de humor repetitivo, por otro lado su género predilecto de humor. El gag, que no tarda en volverse clásico, consiste básicamente en llamarlo por teléfono cada jueves, día de estrenos de cine en Buenos Aires, y antes de decirle nada, antes incluso de saludarlo, preguntarle a boca de jarro: «¿Y? ¿Al final fuiste a ver *Bondad humana?*», así cada jueves de cada semana, hasta que él alcanza la mayoría de edad y al jueves siguiente, después de hacerse asesorar por un conocido con alguna experiencia en cuestiones legales, atiende el teléfono y adivina la voz de su padre sin necesidad de oírla, y antes de que articule una vez más la pregunta de rigor, si al final fue a ver, etcétera, lo amenaza con mandarlo a la cárcel por abuso psicológico reiterado. [...] En todo está siempre la voluntad, casi la obsesión, que pone en práctica con una lucidez y un encarnizamiento asombrosos, de comprobar la sospecha de que toda felicidad se erige alrededor de un núcleo de dolor intolerable, una llaga que la felicidad quizás olvide, eclipse o embellezca hasta volverla irreconocible pero que jamás conseguirá borrar —no, al menos, a los ojos de los que, como él, no se engañan, no se dejan engañar, y saben bien de qué subsuelo sangrante procede esa belleza. Y su tarea, la de él, que no recuerda haber elegido pero muy pronto adopta como una misión, es despejar las frondas que la ocultan, sacar la herida oscura a la luz, impedir por todos los medios que alguien,

18

en algún lugar, caiga en la trampa, para él la peor imaginable, de creer que la felicidad es lo que se opone al dolor, lo que se da el lujo de ignorarlo, lo que puede vivir sin él. Así que cuando su padre, hablando de él ante un amigo, menciona su famosa sensibilidad y pone los ojos en blanco, en un trance extático que cuanto más parece elevarlo más aplasta a quien se lo causa, más lo hunde en el abatimiento, quizás haría mejor en decirlo todo y hablar de lo que está realmente en juego: una sensibilidad que sólo tiene ojos para el dolor y es absoluta, irreparablemente ciega a todo lo que no sea dolor.

Modestísima como es, la superficie de las yemas paspadas de sus dedos no tarda en estar para él tan llena de secretos como el cielo nocturno para un astrónomo, pero el interés y la concentración que pone en interrogar ese diminuto mapa de piel se disipan de golpe, irreversiblemente, cuando algo le llega del mundo con una sonrisa en los labios, cuando el signo de alguna forma de felicidad, no importa si es tenue o flagrante, parece apelar a su complicidad o solicitar su consideración. Lo único que atina a hacer en esos casos, y lo hace sin pensar, de manera mecánica, respondiendo a alguna clase de programación secreta, es comportarse como un consumidor entrenado, siempre alerta para detectar la astucia con que pretenden engañarlo: cargar contra, desgarrar el velo sonriente con que la dicha se le presenta, atravesarlo y dar con el oscuro coágulo de dolor que oculta y del que según él, y ésa es quizás una de las cosas que más lo sublevan, esa especie de parasitismo nunca confesado no hace más que alimentarse. Eso cuando se le da por hacer algo. Porque las más de las veces ni llega a eso. La desazón es tal, y tan abrumador el desánimo que lo invade, que baja los brazos, se deja caer, desvía la cara para mirar hacia otro lado.

[...] Descree de la dicha, como por otra parte de cualquier emoción que haga que quien la atraviesa no necesite nada. Por algún motivo se siente cerca del dolor, o desde muy temprano ha sentido la relación profunda que hay entre la cercanía, cualquiera sea, y el dolor: todo lo que hay de álgido en el hecho de que entre dos cosas, de golpe, la distancia se acorte, desaparezca el aire, los intervalos se eliminen. Ahí él brilla, brilla como nadie, ahí él encuentra un lugar. A Lo Feliz y Lo Bueno, él, si pudiera, les opondría esto: Lo Cerca. Antes incluso de haberlo experimentado aproximándose a los ojos, casi hasta enceguecerse, el papel de las páginas de las revistas de historietas, antes de ver cómo la piel de las yemas de sus dedos se pule casi hasta desaparecer, Lo Cerca ha sido para él una imagen en primer plano, nunca sabrá si de cine o de televisión, en la que una boca susurra, más bien vierte algo que él no alcanza a escuchar, que ni siquiera aseguraría que suena, en la cavidad espiralada de un oído, un poco como lee después en una tragedia isabelina que se vierten, no en el estómago ni en la sangre sino en el oído, los venenos verdaderamente letales. Es lo que sucede, salvadas las distancias, con el chiste gráfico de Norman Rockwell que en algún momento cae en sus manos en casa de sus abuelas, sin duda el lugar menos natural para encontrarlo, aunque también allí, guardadas bajo doble llave en el armario de los juegos de mesa, tropieza con los dos mazos de cartas de póker con fotos de mujeres desnudas de los años cincuenta, primera fuente de inspiración para sus desahogos lascivos. En el chiste una mujer cuenta un chisme al oído de una amiga, la amiga se lo cuenta a su vez a una amiga, esta amiga a otra, y ésta a otra más, y así de seguido —a razón de media docena de amigas chismosas por hilera y de media docena de hileras—, hasta que una última amiga le cuenta el chisme a un hombre, el primero y único de toda la página, que pone cara de escándalo y en un arrebato de furor va e increpa a su esposa, que no es otra que la primera mujer, la que encendió la mecha de la serie. En ese gag, que nunca deja de ejercer sobre él un magnetismo misterioso, encuentra la encarnación visible, aunque mitigada por la comicidad y el espíritu caricaturescos del dibujo, de la escena del envenenamiento auricular.

Pero ¿él qué es: la boca o el oído? ¿Los labios que susurran las palabras de muerte o la cavidad que las recibe? Ya a los cinco, seis años, él es el confidente. A diferencia de los músicos prodigio, que tienen oído absoluto, él es un oído absoluto. Está entrenadísimo. Vaya uno a saber cómo son las cosas, cómo se arma el circuito, si es que él tiene el talento necesario para detectar al que arde por confesar y le ofrece entonces su oreja o si son los otros, los desesperados, los que si no hablan se queman o estallan, quienes reconocen en él a la oreja que les hace falta y se le abalanzan como náufragos. Es evidente en todo caso que si hay algo que su padre admira de él y comenta a menudo con sus amigos, en esas rondas de padres que la generación del suyo, poco dada por naturaleza a intercalar en una agenda saturada de mujeres, ex mujeres, dinero, deportes, política, cosas del espectáculo, el tema de los hijos —secuelas vivientes, por otra parte, de una concesión hecha a las mujeres de la que después no les alcanza toda la vida para arrepentirse—, sólo se rebaja a mencionarlos cuando presentan alguna rareza positiva que lo justifica, pero también con él mismo, en un trance de intimidad y franqueza que roza la obscenidad —si hay algo que lo regocija es precisamente esa vocación de escuchar, de la que su padre, cada vez que la exalta, destaca siempre lo mismo, el don de la ubicuidad, que parece ponerla todo el tiempo a disposición de todos, la paciencia aparentemente ilimitada, la atención, que no se pierde detalle, y la capacidad de comprensión, que su padre define como una anomalía total, ya insólita en un chico de cinco o seis años, pero inconcebible en el noventa y cinco por ciento de las personas adultas que le ha tocado conocer.

En su presencia, casi como resultado de un efecto químico, igual que la imagen sólo se hace visible en el papel cuando se la expone a la acción del ácido indicado, los adultos se ponen a hablar. No tiene la impresión de hacer nada en particular: no es que pregunte, o interrogue con la mirada, o se interese, eventualmente alarmado por el gesto de desazón, la expresión sombría o el asomo de lágrimas con que el otro delata el calvario que atraviesa. Pasa así. Está sentado en el piso dibujando, jugando con sus cosas, un auto en miniatura, uno de esos corgy toys que adora y que, sobre todo cuando tienen puertas articuladas que él puede abrir para reemplazar la rústica efigie del conductor por otra, no cambiaría por nada del mundo, y de golpe alguien se le une, un adulto, cuya sombra inmensa ve primero cernirse sobre la autopista serpenteante que ha imaginado en la alfombra y termina encapotando el cielo con una promesa de tormenta. Hay un prólogo incómodo, dubitativo. El adulto siente la necesidad de ponerse a su altura, se arrodilla, se acomoda a su lado y hasta le roba –con una impertinencia que sin duda se animaría a defender, atribuyéndola a la impulsividad que estimula el desconsuelo, pero que él directamente no puede tolerar– un autito, por lo general su preferido, que quizá para congraciarse con él, quizá para darle algún sentido a una usurpación que no puede ser más agraviante, de pronto hace derrapar con deplorable falta de convicción en la zona de la alfombra más próxima a sus piernas, donde es evidente para cualquiera menos para el adulto, absorto como está en su drama interior, que la autopista imaginaria no pasa ni pasará nunca.

Así, como si se turnaran para no abrumarlo, han desfilado su madre, su abuela, su abuelo, incluso la mucama que trabaja por horas en la casa. Su madre le ha confesado que a los veinticinco años, condenada por el canalla de su padre, que se mandó mudar, a vivir entre las cuatro paredes de ese departamento de clase media, otra vez a merced de su madre y su padre, en quienes la tristeza de ver sola y con una criatura a cuestas a su única hija no es nada, absolutamente nada, comparada con la euforia triunfal que les producen el hecho de tenerla otra vez con ellos, bajo su influencia, y, sobre todo, la evidencia de cuánta razón tenían –toda la del mundo– cuando cuatro años antes, en vísperas de una boda concertada a las apuradas, le habían profetizado que por intensa que fuera «la calentura no duraría» y en dos o tres años, a lo sumo cuatro, ella volvería a ellos con una mano atrás y otra adelante y sin derecho a nada, se siente vieja, usada, vacía, en una palabra: muerta, una muerta en vida, que es la expresión con la que él de hecho la describe para sus adentros unos años más tarde, cada vez que pasa frente a su cuarto a media mañana y la ve tendida entre almohadas en salto de cama, completamente inmóvil, con la cara embadurnada de crema, los ojos tapados por dos algodones húmedos y dos o tres frascos de pastillas en la mesa de luz, entregada a toda clase de tratamientos que le prodiga un pequeño ejército de mujeres solícitas a las que ella llama cosmetóloga, masajista, manicura, fisioterapeuta, acupunturista, poco importa, pero que él ya sabe que no son sino reanimadoras profesionales, gente especializada, como los bomberos o los bañeros, en devolver a una vida por otro lado bastante precaria a personas que ya están con un pie del otro lado.

Su abuela, que en público, es decir básicamente en presencia de su marido, no abre la boca más que para decir sí y bueno –y eso sólo cuando su marido le dirige la palabra–, reírse de alguno de los chistes subidos de tono de los programas cómicos que ve por televisión o meterse bocados de comida que corta antes en el plato cada vez más chiquitos, le confiesa una tarde que su marido acaba de descubrir, disimulado en una media, el dinero que ella ha estado ahorrando día tras día durante cuatro años en cantidades ínfimas, desviándolas, de modo que él no lo note, de la modestísima caja chica que él se digna darle para los gastos cotidianos de la casa, para comprarse la máquina depiladora que acabaría con el vello que la avergüenza desde hace cuánto, ¿treinta años?, y que él, como es natural, no quiere ni ha querido jamás que ella destierre de su cara, porque sabe que aunque a él tampoco le guste, a tal punto la avejenta prematuramente y la vuelve masculina, la función que cumple es de todos modos vital, quizá la más vital de todas, impedir que ella pueda resultar deseable para cualquiera que no sea él, que por otra parte lleva años sin desearla, y que después de descubrirlo y obligarla a comparecer ante él allí mismo, en el lugar de los hechos, como se dice, ha contado uno por uno monedas y billetes y luego de calcular la cantidad exacta que según él le ha robado, luego de arrancarle, bajo amenaza incluso de violencia física, el destino que pensaba darle al dinero, la ha obligado a echarlo todo, hasta el último centavo, a las fauces negruzcas del incinerador.

Su abuelo, que ya entonces, a sus cuatro, cinco años, suele saludarlo a su manera inmortal, asiéndole un gran mechón de pelo de la coronilla y tironeando de él con fuerza mientras le pregunta al oído: «¿Cuándo te vas a cortar este pelo de nena, me querés decir, mariconcito?», lo sorprende un día dibujando sus historietas precoces en unas hojas canson grandes como sábanas y sentándosele enfrente, en el borde de la mesa baja del living, entrelaza los dedos de las manos, donde deja clavada la mirada a lo largo de los veinte minutos que siguen, y le cuenta a boca de jarro que si fuera por él vendería todo, la fábrica que levantó desde cero, él solo, contra la incredulidad y hasta el sarcasmo de su propio padre, inmigrante ferroviario, y que ahora, además de dar de comer a medio centenar de empleados, le permite a él gozar de un tren de vida que el sarcástico de su padre sólo habría creído posible en gente nacida en cuna de oro y respaldada por siglos y siglos de riqueza, todo, el departamento más que holgado en el que vive con su esposa y el que le presta –contra su voluntad, porque a él le gustaría verla aprender la lección, es decir verla empezar todo de nuevo pero realmente sola– a su hija descarriada, el departamento en el centro de Mar del Plata, los terrenos en las sierras de Alta Gracia y Ascochinga, la casita de Fortín Tiburcio, los tres autos, vendería todo lo que tiene y desaparecería del mapa de un día para el otro, sin dejar rastros, y se dedicaría a vivir por fin la vida, su propia vida, no la de los demás, y en los demás lo incluye naturalmente también a él, con ese pelito de nena, aun cuando es evidente que esa vida que llama suya, su abuelo no tiene la más mínima idea de cómo sería ni cómo querría vivirla, pero que sabe que es un cobarde, que nunca lo hará, que no le dará el cuero, y que por eso, porque el resplandor de esa otra vida, aunque imposible, nunca se apagará del todo y seguirá recordándole todo lo que desea y no hace, está condenado a una amargura sin remedio, condenado a envenenarse y a envenenar la vida de los que lo rodean, él incluido, naturalmente, él y su pelo rubio de mariquita y su traje de Superman y sus dibujitos y esos crayones infames que dos por tres deja olvidados en el piso y después alguien aplasta sin darse cuenta y terminan hechos polvo en la alfombra, manchándola para siempre.

Una noche, en el baño, mientras él contempla cómo el jabón que ha salvado de naufragar en el agua de la bañadera disfruta de su inesperada sobrevida a bordo de la esponja que hace de balsa, la mucama entra, apaga la luz por error y lo hace estremecerse de miedo. No llega a llorar, pero la mucama, quién sabe si para consolarlo de antemano por las lágrimas que no derramó o para conseguir que las derrame de una vez, se sienta en el borde de la bañadera con las piernas de costado, como él ha visto que hacen las mujeres cuando montan a caballo, y le cuenta de su novio Rubén, cabo de la policía en San Miguel de Tucumán, de quien espera un chico y con quien se imaginaba casada en menos de tres meses hasta que recibió la carta de una mujer llamada Blanca, de la que nunca había oído hablar en su vida, que le anuncia que es la mujer de Rubén, su mujer legítima desde hace cinco años, con el que tiene ya los dos hijos que aparecen en las fotos que le adjunta, y le pide de buena manera que deje de una vez de escribirle al destacamento y trate de rehacer su vida con algún otro hombre que no tenga el corazón tomado. Y así de seguido.

Con su padre, en cambio, escucha menos de lo que habla –y de lo que llora. Su padre es el superior ante el cual comparece regularmente, para informar, sin duda, aunque nunca le es fácil decidir hasta qué punto las historias que le lleva le importan, pero sobre todo para garantizarle que tiene, que sigue teniendo en él a un todo oídos, alguien capaz de hacer hablar a cualquiera por efecto de su sola presencia física. A decir verdad, por el aire distraído y en ocasiones hasta de fastidio con que las sigue, no son historias lo que su padre parece esperar de él en esas sesiones en que él siente que está reportándose, ni siquiera las historias que cuenta su madre, que dejan a su padre invariablemente mal parado, y eso no sólo como padre sino también como marido, como amante y como profesional, historias que en vez de indignar a su padre, como él esperaría que suceda, lo enternecen, lo endulzan casi hasta el empalaga-

29

miento, al punto de que, lejos de desmentirlas, su padre, que nunca termina de escucharlas sin rogarle que en vez de juzgar a su madre la comprenda, le tenga paciencia, parece más bien confirmarlas –no son historias sino lágrimas. Si la historia que su hijo le ofrenda es indicio de su sensibilidad, del grado de cercanía que es capaz de establecer con cualquier adulto, el llanto es la prueba, la obra maestra, el monumento, que él alienta y celebra y protege como si fuera una llama única, inapreciable, que si se apaga no volverá a encenderse jamás.

Difícil como siempre saber qué es causa y qué efecto, pero él, esa capacidad extraordinaria que tiene de llorar ante el menor estímulo, dolor físico, frustración, tristeza, la desgracia ajena, incluso el espectáculo fortuito que le presentan en la calle mendigos o personas mutiladas, tiene la impresión de que sólo la pone en práctica, incluso de que la posee, así, lisa y llanamente, cuando su padre está cerca. Lejos, en otros contextos, la vida con su madre, por ejemplo, o con sus abuelos, o sin ir más lejos la vida escolar, tan pródiga en crueldad, humillación y violencia, que hasta los niños más duros, o más sensibles al descrédito social, jamás la atraviesan sin moquear, hay que infligirle un daño inhumano para arrancarle una lágrima, y en las contadísimas ocasiones en que se la arrancan ni siquiera es legítimo decir que llora, a tal punto lo que le brota de los lagrimales, además de escaso, queda neutralizado por el estado de impasibilidad en que se mantiene el resto de su cuerpo. Es casi patológico, tanto como más tarde lo será su reticencia a sudar. Su madre ha pensado en hacerlo ver, pero al imaginarse frente al médico se ha arrepentido. ¿Qué dirá? ¿«Mi hijo no llora»? ¿A quién le dirá una frase como ésa? No hay psicólogos todavía, no al menos orbitando como cuervos alrededor de una familia de clase media como los habrá después, y la psicopedagogía es una disciplina en pañales que calienta sus motores en los gabinetes de las instituciones escolares. ¿Al médico de la familia? Tal vez. Pero su madre antes tendría que dar con un médico verdadero, alguien que, a diferencia del que ha heredado de su padre, un carnicero veterano que sólo en sentido muy figurado puede decirse que los atiende, para el cual nada que esté por debajo de una neumonía aguda o una peritonitis merece llamarse enfermedad ni justifica el tiempo de una consulta, pueda escuchar un comentario como ése sin estallar en carcajadas, mirarla como si estuviera demente o incluirla en la lista de pacientes que no volverá a recibir. Todo lo que no llora de un lado lo llora del otro. Es tan simple como eso. Puede estar corriendo en el patio del colegio con sus zapatos de suela, ortopédicos, porque tiene pie plano o «el arco vencido», como le dice después el mismo traumatólogo progresista que a los doce le serrucha los juanetes de ambos pies, y resbalar y desollarse las rodillas contra las baldosas y ponerse de pie en el acto y seguir corriendo sin siquiera mirarse las heridas. Pero si sabe que su padre anda cerca y ve de golpe un perro vagabundo que se arrastra rengueando entre cajones de fruta por el club es capaz de llorar veinte minutos de corrido. Desde cuándo tiene esa capacidad, eso no podría decirlo. Pero le resulta difícil imaginarse con su padre sin verse tocado de algún modo por el llanto, o bien llorando, o bien sonándose los mocos después de llorar, o bien asaltado por el temblor, la congestión masiva que presagian el llanto. Hasta se extraña cuando ve fotos viejas donde aparece con su padre y se descubre con la cara seca. «No soy yo», piensa.

[...] Considera las lágrimas como una especie de moneda, un instrumento de intercambio con el que compra o paga cosas. O tal vez es la forma que Lo Cerca adopta en él cuando está con su padre. Hay en llorar algo que le recuerda a las yemas de los dedos pulidas por el roce con el fondo de la pileta. Si los dedos pudieran sangrar, si sangraran sin herida, sólo por el adelgazamiento extremo de la piel, entonces sería perfecto. Con el llorar, por lo pronto, compra la admiración de su padre. Puede sentir hasta qué punto su condición de lágrima fácil lo convierte de algún modo en un trofeo, algo que su padre puede pasear por el mundo con un orgullo único, que no tendrá que compartir con ningún otro padre, al revés que las destrezas deportivas, la lascivia temprana, incluso la inteligencia, virtudes infantiles redituables pero demasiado comunes. Muy pronto tiene conciencia de ser una especie de niño prodigio, pariente menor de los niños ajedrecistas de los que cada tanto habla la revista *Selecciones del Reader's Digest*, que lee siempre en casa de sus abuelos, y también del monstruo de flequillo y pantalones cortos que contesta ceceando sobre Homero en el programa de televisión de preguntas y respuestas que mantiene en vilo al país entero. Sólo que lo suyo es la sensibilidad. Escuchar, llorar, a veces, muy de vez en cuando, también hablar. Hablar, cuando se da, es el estadio superior. En ocasiones habla de lo que lo ha hecho llorar, el vendedor ambulante sin pierna, la mujer hemipléjica que fuma con un solo lado de la cara, el compañero de banco que una tarde de invierno pierde el micro escolar y debe volverse caminando al tenebroso suburbio donde vive. Pero lo máximo, el colmo, la función de gala de la escena íntima con su padre es cuando habla de sí, cuando «se expresa», cuando dice «lo que le pasa». Ahí, otra que niño prodigio. Ahí es campeón olímpico, semidiós, la mar en coche. Hay que ver lo bien, lo preciso que habla. De dónde saca ese talento, su padre no lo sabe. De hecho no ha dejado de preguntárselo desde el primer día, desde que lo sorprende por primera vez llorando en el vestuario del club y le pregunta qué tiene como al pasar, como si el pliego de condiciones de padre que algún crápula le ha hecho firmar en un momento de inconsciencia, en la penumbra malsana de alguno de los guindados de la recova de Palermo que sin duda frecuenta las noches de sábados en que él, postrado por una angina, debe pasar el fin de semana en el departamento de Ortega y Gasset con su madre, agregando al ardor de las placas de pus, las amígdalas inflamadas y la fiebre el malestar que le provoca una intimidad tensa, torpe, en rigor menos una intimidad que la coexistencia forzada, bajo un mismo techo, de dos personas que no hacen sino ignorarse, una porque aunque ame a la otra y esté dispuesta a todo por ella, en rigor no tiene la menor idea de qué hacer con ella, la otra porque no hay minuto que pase en el que no sienta el deseo de estar en otro lado, con otra persona —como si el pliego fatídico incluyera el deber no sólo de asociar la mueca del llanto con la razón invisible que pueda estar causándola sino también de preguntarles a los hijos qué les pasa cuando la mueca empieza a deformarles la cara. Y en el momento menos pensado, cuando su padre sólo espera que la dé vuelta para esconder las lágrimas y cambie de tema o se mande mudar a toda carrera, fingiendo responder al llamado de un amigo que rumbea, raqueta en mano, hacia las canchas de tenis, él le enrostra esa razón invisible, que no es una sino dos, tres, un largo reguero de razones atesoradas quién sabe desde hace cuánto tiempo, y no en el idioma balbuceante que se esperaría de una criatura sino en un monólogo orgánico, articulado, tan consistente que su padre, por un momento, juraría que habla dormido, dormido y con los ojos abiertos, como le ha llegado a través de su ex mujer la noticia de que hace a veces por las noches durante la semana. [...] Desde ya que ese talento no lo saca de su padre, formado en una escuela para la que la introspección, como las palabras que la traducen, es una pérdida de tiempo si no una debilidad. Más bien al revés: es él, el hijo, con sus ¿cuántos?, ¿seis?, ¿siete años tiene cuando el padre sorprende en sus ojos el destello de ansiedad con que mira al amigo que enfila hacia las canchas de tenis, único salvador posible, y el rapto de decisión que lo lleva a quedarse, a rechazar la posibilidad de huir, a quedarse a llorar y hablar?, es él el que de algún modo forma, reforma al padre y lo enrola en la escuela de la sensibilidad, a tal punto que, como el drogado perenne de Obélix con la poción mágica, ya no necesitará volver a bañarse en ella para disponer de sus poderes. Claro que si hay algo insondable ¿no es acaso eso: de dónde se sacan las cosas, de dónde que no sea ese adentro impreciso, blando, siempre ya saturado de emoción, tan convincente y extorsivo, por otra parte, como su contrapartida exterior, el afuera igualmente inmundo hacia el cual las cosas siempre deben sacarse? No puede evitar recordar la escena en que con su primer llanto seguido de confesión conmueve a su padre hasta las lágrimas y lo alista para siempre en las filas de la sensibilidad cuando, llevado precisamente por su padre, va una noche a uno de esos bares con música que la ciudad empieza a llamar no sin jactancia «pubs» y asiste al concierto, «mítico», según las crónicas que lo evocan algunos años después, con el que un cantautor de protesta se reencuentra con sus seguidores después de seis años de exilio. No hay mucha gente, quizá porque el «pub», categoría relativamente nueva en una esfera pública todavía dominada por el «bar» y el «café» y mucho más nueva, por no decir desconcertante, para el repertorio clásico de espacios de difusión musical, no convoca todavía las pequeñas muchedumbres a las que están acostumbrados los teatros, quizá porque el cantautor, que, recién llegado al país, aún no tiene una idea cabal de la irritación que su regreso puede despertar en los criminales que gobiernan, descendientes marchitos pero directos de los que lo obligaron a irse, no ha querido co-

rrer riesgos y ha convencido a los dueños del
«pub», también organizadores del concierto, de
evitar las promociones llamativas que sin duda
merece. De entrada tiene la impresión, no sabe si
agradable o desagradable, de estar participando
no de un acto ilegal, porque mal que mal él ha
leído acerca del concierto en algún diario, y si estuviera amparando alguna actividad reñida con la
ley, el «pub» no tendría las puertas abiertas de par
en par ni esos faroles de un amarillo pálido encendidos en la entrada, a la vista de todo el mundo, incluso de los patrulleros que cada tanto des-
filan a paso de hombre por una de las avenidas
más notorias del barrio de Belgrano, sino de un
acontecimiento híbrido, mucho más perturba-
dor, en el que «lo clandestino», quizá para no
asustar y no perder del todo sus prestigios, ha
aceptado confundirse con «lo exclusivo». Así, recién llegado, apenas su padre se escabulle en la
trastienda para saludar a alguno de sus conocidos
del mundo de la noche, el que un domingo, por
ejemplo, satinado de bronceador bajo el sol fatal
del verano, pica en el trampolín de New Olivos y
clava en el agua una carpa perfecta, o el que, sentado a la mesa del guindado que, a fuerza de ocu-
parla durante años, tiene todo el derecho de llamar suya, lleva el paquete de cigarrillos calzado
en la manga de la camisa recogida a la altura del
antebrazo y le habilita a su padre chicas, uno que

otro pase, una ración generosa de «vidrios», como llama la época a los whiskies, él deambula entre las mesas indeciso y se pregunta qué hacer, con quién hablar, dónde sentarse, y tampoco sabe cómo tomar el hecho de que haya tan poco público, si como un motivo de goce o de desazón, de regocijo o de abatimiento. No es más que un concierto, pero para él, formado como tantos en la dialéctica de la masa y la célula, la plaza y el sótano, el puñado de hombres y mujeres al que se reduce la audiencia con la que se reencuentra esa noche el cantautor de protesta, el mismo que apenas siete u ocho años atrás colma estadios y cede complacido sus melodías a los redactores de consignas militantes, no puede no ser una señal, y una señal no de las mejores, sobre todo cuando la penumbra calculada del «pub», el falso antiguo de sus revestimientos de madera, el aire radiante de esas mujeres vestidas de blanco y esos hombres bronceados que llevan vasos largos en la mano reproducen a la letra el clima, la escenografía y los protagonistas de los avisos gráficos de marcas de cigarrillos o de whisky que ocupan las contratapas de las revistas de actualidad que seis años atrás denunciaban al cantautor de protesta como una amenaza y exigían la prohibición de sus canciones.

[...] Es viernes. Rompiendo inesperadamente un silencio de meses, su padre lo ha llamado a último momento, casi sobre la hora del concierto. Él ha vacilado. No tiene nada que hacer, ha pensado incluso quedarse en casa, pero le basta escuchar el entusiasmo teñido de culpa con que le proponen el programa para que de golpe mil otras posibilidades de salida lo encandilen en el horizonte de la noche. Miente: «Es un poco tarde. Estaba por salir.» Es tarde, en efecto. Pero si su padre lo ha llamado tan a último momento es porque recién se entera del concierto, y no por el diario, como sería de esperar, ni por terceros, sino por boca del propio cantautor de protesta, que, le confía su padre, «un poco intimidado por el evento» –acaba de llegar de España con un pasaporte provisorio, su abogado le ha recomendado que no deshaga todavía las valijas, es la primera vez en siete años que toca en una ciudad de la que prácticamente no reconoce nada–, ha decidido que esta noche, la noche de su debut, sea una «noche íntima» y sólo haya «caras amigas» en las primeras filas.

Una vez más, como siempre que su padre exhibe la relación que lo une con una persona notoria, le cuesta creer, entrecierra los ojos en señal de desconfianza. Como si por fin se rindiera a las evidencias de una vida secreta, que siempre han estado a la vista pero él nunca aceptó reconocer, ve de golpe a su padre como uno de esos fanáticos de pelo teñido y ojos anhelantes que colec-

cionan fotos autografiadas, montan guardia en la
puerta de los canales de televisión para sorprender a sus estrellas favoritas y después transforman
el saludo, las palabras de cortesía o la sonrisa fu-
gaz, ligeramente asustada, que sus ídolos les de-
dican, menos para reconocerlos que para sacárse-
los de encima sin despertar su ira, en pruebas de
una complicidad o un afecto que no existen ni
existirán nunca. Desconfía incluso en los casos
en que la relación tiene antecedentes que la con-
firman, como sucede con el cantautor de protesta, del que recuerda haber oído a su padre hablar
a menudo cuando el cantante está en los picos
máximos de su fama, primero en el momento en
que irrumpe, imponiendo de un día para el otro
su leve acento italiano, su campechanía, la humanidad empalagosa de canciones que cantan,
en un suave dialecto de calle de clase media, la
sencillez y la pureza de valores que a fuerza de estar a la vista se han vuelto invisibles, y se vana-
glorian en secreto de todo lo que nos impide reconocerlos, incluso todo lo que los condena a
desaparecer, porque es precisamente la suerte trá-
gica que corren esos valores perdidos la que les
da a las canciones el eco melancólico que les per-
mitirá conmover, extorsionar, seguir cosechando
adeptos; segundo cuando más tarde, a tono con
la época, el cantautor decide revestir la humanidad de sus canciones con la capa de agresividad,

crispación y denuncia que exigen para pasar sin problemas de la industria de lo sensible al mercado político, y llama a desalambrar la tierra o a expropiar los medios de producción con el mismo tono próximo, cómplice, confidencial, con que hasta entonces celebra el milagro cotidiano de un chaparrón, invita al bar a la chica que ve todos los días en la parada del colectivo o contempla envejecer a su padre en una ensoñación piadosa.

Esa misma noche, sin ir más lejos, mientras se dirigen al «pub», él, en parte para ponerlo a prueba, en parte porque lo indigna tropezar con un aspecto de su padre que siempre se las ingenia para olvidar, le pregunta cómo es que el cantautor en persona lo ha invitado al concierto, por qué, en calidad de qué. Y si se lo pregunta es sólo porque es más fuerte que él, porque en verdad no puede evitarlo. Si pudiera, ¡cómo lo evitaría! Porque apenas ha hecho la pregunta reconoce en la cara de su padre el aire de satisfacción y a la vez de misterio que daría todo, todo lo que tiene, por ahorrarse. Una vez más, ha picado. Y mientras se debate con el anzuelo incrustado en el paladar, maldiciéndose una y otra vez por haber caído en la trampa, y no por imprevisión, porque siempre la detecta a la legua, sino por debilidad, curiosidad, incluso envidia, su padre exhala un largo suspiro y él entiende exactamente lo que hay que entender: que se trata de «una historia larga», «complicada», «imposible de resumir», de la que en los minutos que siguen su padre, sin embargo, con un arte que él nunca dejará de admirar, a tal punto le parece específico, se las arregla para hacer aflorar, en medio de un relato que multiplica los rodeos, las marchas y contramarchas, los puntos suspensivos, una serie de términos inquietantes, «aguantadero», «línea clandestina de teléfono», «pasaporte falso», «Ezeiza», que quedan flotando en él como boyas fosforescentes, vestigios de un incalculable mundo sumergido que él ya no puede sacarse de la cabeza. Si al menos hablara claro. [...] Es justamente el carácter vago de su relato, la imprecisión en la que deja que se diluyan las fechas y los hechos, las zonas confusas que no sólo no parece evitar sino que hasta fomenta, es todo eso, que él nunca sabe si atribuir a una memoria despreocupada, que desdeña los pormenores, o simplemente al cálculo, lo que le da que pensar. ¿Y si habla así, con migajas, con la doble intención de satisfacer su curiosidad y al mismo tiempo no comprometerlo? Quizás la frivolidad de eso que él toma por una relación de reverencia servil, y que le merece una condena inapelable, sin matices, no importa si el personaje notorio en cuestión es admirable o indigno, una eminencia o el último cero a la izquierda, un genio o un idiota, porque entiende que coloca a su padre en un puesto particularmente bajo de la escala humana, no sea sino una cortina de humo, una pantalla destinada a disimular un lazo más estrecho, y también más peligroso, que pondría instantáneamente en riesgo a quien accediera a él. Pero esa noche ve aparecer al cantautor de protesta en el escenario del «pub», ve su silueta avanzar desde el fondo, alta, desgarbada, rociada de aplausos y gritos mordidos, tanto que de golpe se hace difícil precisar si lo alientan o lo amenazan, y acomodarse con su guitarrita criolla en el taburete alto que han instalado en proscenio, ve cómo un haz luminoso disparado desde el techo lo entuba de brillo y recorta su cabeza enrulada y el contorno de sus anteojos de miope, los dos hallazgos más persistentes de su iconografía personal –además, claro, de la sempiterna sonrisa, tan inseparable de su rostro que más de una vez la han atribuido a una forma benévola de atrofia muscular–, intactos, todos, a pesar de los siete años de exilio, y de algún modo puestos de relieve por el mameluco blanco que lleva puesto, uno de esos «carpinteros» que se abrochan a la altura del pecho y que usan no los carpinteros, que no han visto uno ni pintado, sino las mujeres embarazadas, las maestras jardineras y los actores que, hartos de probar suerte en audiciones multitudinarias y ser rechazados, terminan asilándose en el mundo de las obras de teatro para chicos o las comedias musicales, lo único nuevo, por otra parte, que parece haberse traído del molino sin luz ni agua potable en el que dicen que vivió en las afueras de Madrid, eso, el mameluco blanco, y una canción que esa noche no tarda en cantar, primicia para todos y revelación total para él, que al escucharla cree comprender algo decisivo para su vida –esa noche lo ve, él, que sólo lo conoce por las tapas de sus discos, las fotos de las revistas, las presentaciones en programas de televisión, y se pregunta estupefacto a quién puede habérsele pasado por la cabeza que pueda ser peligroso, que valga la pena hostigarlo, hacerle la vida imposible, forzarlo a dejar el país, borrar del mapa sus canciones.

Y sin embargo, si tuviera en ese momento que elegir algo en el mundo que hable de él, algo que lo nombre y que él no pueda eludir por más que quiera, porque lo que nombra es una especie de núcleo idiota y recóndito que ni él mismo se ha atrevido aún a nombrar, él elegiría tres versos de la canción que el cantautor de protesta estrena esa noche, tres versos que, más que afectarlo, lo que implicaría que salen de la boca del cantautor y viajan por el aire y actúan sobre él, parecen en rigor salir de él mismo, salir y sin viajar, porque él, por lo que sepa, no ha abierto la boca, volverse audibles en boca del cantautor, según ese milagro del credo populista por el cual el autor de todo, incluidos por supuesto los tres versos-estreno en los que esa noche él, como los moribundos, ve desfilar toda su vida, es el pueblo, es decir el público, y los artistas, a lo sumo, meros médiums, portavoces orgullosos del mensaje que el pueblo los elige para que transmitan –pero ¿a quién? ¿Que transmitan a quién, si ellos son a la vez los emisores y el público, y fuera de ellos no queda nadie, nadie digno, en todo caso, de escuchar ese mensaje? No es que no se haga la pregunta. Se la hace, pero es más fuerte y más lo arrastra lo otro, el modo en que los tres versos de la canción que canta por primera vez en su ciudad, en su país, en los que, como confiesa antes de ejecutarla, no ha dejado de pensar mientras la componía, encienden la verdad que él llevaba grabada en secreto. *Hay que sacarlo todo afuera / Como la primavera / Nadie quiere que adentro algo se muera.* Escucha esos versos y descubre cuál es su causa, la causa por la que milita desde que tiene uso de razón, desde esa edad en que los niños se desesperan por hablar y él, en cambio, por escuchar, y el descubrimiento lo inunda de una especie de terror maravillado, tan desconcertante y nuevo, por otra parte, que se pierde el resto de la estrofa, y sólo le presta atención cuando el cantautor, fiel en todo a la forma canción, la repite al poco tiempo con una o dos medidas más de brío, envalentonado por el eco favorable que ha visto que cosechó la primera vez, y las palmas, que antes, aunque entusiastas, sólo irrumpen al final de cada canción, a lo sumo mordiendo sus últimos acordes, se atreven ahora a acompañarla. *Vamos, contame, decime / Todo lo que a vos te está pasando ahora / Porque si no, cuando está tu alma sola, llora / Hay que sacarlo todo afuera / Como la primavera / Nadie quiere que adentro algo se muera / Hablar mirándose a los ojos / Sacar lo que se puede afuera / Para que adentro nazcan cosas / Nuevas, nuevas, nuevas, nuevas, nuevas.*

Entiende todo. Es quizás el gran acontecimiento político de su vida: eso que le revela la verdad de la causa por la que siempre ha militado es al mismo tiempo y para siempre lo que más le revuelve el estómago. De ahí en más lo llama la náusea. De ahí en más no puede ver ni oír ni enterarse de nada relativo al cantautor de protesta, que dicho sea de paso aprovecha el cambio de aire general, vende su famoso molino y vuelve a afincarse en el país y con el tiempo deja la guitarrita criolla y el carpintero blanco para dedicarse a la caridad política pero jamás abandona la sonrisa, ni los anteojos de miope, ni el tono de complicidad sencillista, sin rodeos, tan de «tomemos un café», tan de «charlemos», con el que solía cantar sus canciones, sin sentir el impulso de quemar el diario que publica la foto de su rostro, hacer polvo el televisor que lo muestra cantando en un teatro de Cali o una plaza de toros en Quito, únicos escenarios, al parecer, donde al «pueblo» sigue resultándole cómodo pronunciarse por su intermedio, o moler a golpes a la persona que acaba de soltar su nombre, no necesariamente para ensalzarlo, en medio de la conversación. De ahí en más, todo lo que rodea al cantautor de protesta, no sólo su letrista y sus amigos cercanos sino sus contemporáneos, sus coetáneos, sus, como se dice en la época, «compañeros de ruta», como también la época que lo encumbra, los valores que defiende, la ropa que usa, todo se le aparece rancio, viciado de la pestilencia singular, tan tóxica, de esos manjares que más allá de cierto umbral de tiempo, cuando se descomponen, irradian una fetidez bestial, difícil aun de concebir en las cosas en que la putrefacción es el único estado de existencia posible. Como es natural, su padre no tarda en caer en la volada –su padre, al que de pronto escanea de adelante para atrás, sometiéndolo al barrido implacable de su descubrimiento y de su ira, la peor, ira de usado, de corresponsal de guerra involuntario, de enviado especial al muere, como muy pronto empieza a pensarse. Todos y cada uno de los días de su vida ha sido enviado al mundo de la sensibilidad, al campo de batalla de la sensibilidad, donde todo es «cercanía», «piel», «emoción», «compartir», «llanto», y todos y cada uno de los días, soldadito obediente, ha regresa-

47

do, y la algarabía con que su padre lo ha recibido cada vez, algarabía doble si lo ha visto volver sin una pierna, triple si con un ojo y una mano menos, ha sido menos un premio que un incentivo, el soborno necesario para asegurarse de que al día siguiente despertará temprano, se pondrá el uniforme, partirá otra vez. Caen en la volada su padre y sobre todo el velo húmedo que le empaña los ojos cada vez que lo ve volver, con botín o sin él, del campo de batalla de la sensibilidad, que parece adensársele en las esquinas de los ojos y cuando está por coagular, cuando está a punto de volverse lágrima, zas, se evapora –el mismo velo de humedad, por otra parte, que su padre, con el correr del tiempo, hace brillar como por arte de magia en sus ojos cada vez que él está a punto de objetarle algo, ir a fondo con un problema del que prefiere desentenderse, poner en evidencia lo que su necedad le impide ver, y que de pronto empaña sus ojos –«empaña», qué palabra que pasa a detestar, ligada como está al «café», a la «calidez» de un «café» en invierno, a los «enamorados» que «dibujan» un «corazón» en el «vidrio empañado» del «café», es decir a la repulsiva galaxia imaginaria donde sigue reinando el cantautor de protesta– y, además de protegerlos, ablandándola, desactiva al instante la ofensiva que lo amenaza. *Vamos, contame, decime.* Pero ¿*vamos* adónde? ¿*Contame* qué? ¿Quién, *decime*?

Demasiado tarde. La náusea, él puede detestarla cuanto quiera: eso no impedirá que lo trabaje, que lo siga trabajando como lo ha trabajado siempre, con paciencia, aplomo, confianza ciega en el futuro, con la certidumbre de que el tiempo está de su lado, del lado de la náusea, como el óxido trabaja hasta horadar aquello que trabaja, a la manera china. Porque no es la repulsión que le inspira esa noche el cantautor de protesta lo que merece explicación –ni ésa, dicho sea de paso, ni ninguna otra, ni nada que tenga que ver con la repulsión en general, gran agujero negro que no para de chupar, de tragarse un caudal de pensamiento que sería providencial, incluso salvador, si sólo se aplicara a los objetos adecuados. No. Es la atracción, el magnetismo del cantautor de protesta, difícil ya de resistir para cualquiera, como lo prueban los miles y miles de imbéciles que a lo largo de los años corean su nombre, se nutren de sus declaraciones a la prensa, cantan sus canciones, compran sus discos y agotan las entradas de sus conciertos, pero mucho más irresistible todavía para él, ideólogo confeso de Lo Cerca. Lo reconozca o no, el mismo cantautor de protesta es el que más tarde, terminado el concierto, cuando en el «pub» sólo quedan «los amigos», su padre entre ellos, naturalmente, y él, a modo de *sidecar*, con su padre, y su padre lo lleva a conocerlo –es él, el inmundo, con sus gafas redondas, sus rulitos tirabuzón, su aire de cuarentón que se niega a colgar la toalla, el que le da la clave del fenómeno. «Mi hijo», anuncia su padre cuando llegan hasta él, que, sentado en el borde del escenario, firma unos autógrafos. El cantautor devuelve una birome, achina los ojos y lo mira maravillado, como si él fuera ¿qué?, ¿una hogaza de pan tibio, recién horneado?, ¿un crepúsculo?, ¿un arma cargada de futuro? «¡Tu hijo!», exclama con suavidad, y en esa mezcla perfectamente dosificada de violencia y de ternura –«ternura», otra palabra que él ya no puede pronunciar sin sentir que se envenena– él cree reconocer la fórmula secreta de una complicidad fundada en lo que más aborrece en el mundo, imprecisión, superficialidad, autocomplacencia, y cuando él extiende con timidez una mano, el brazo rígido, como de autómata, para no dejar mal parado a su padre pero mantener con todo alguna distancia, el cantautor de protesta lo toma de los antebrazos y, atrayéndolo de golpe, de modo que él, tomado de sorpresa, no pueda resistirse, lo abraza largamente mientras apoya el mentón sobre su hombro y murmura: «Pero qué lindo. Pero qué hijo sensacional que tenés. Pero qué hijo impresionante» –y se lo dice no a su padre ni a él, por supuesto, por intermedio de su padre, ni a nadie en particular, sino a ese todo el mundo en particular para el que firma autógrafos y canta cosas como *Fui niño, cuna, teta, pecho, manta / Más miedo, cuco, grito, llanto, raza / Después cambiaron las palabras / Y se escapaban las miradas / Algo pasó / No entendí nada.* «Y si no entendiste nada», piensa él, «¿por qué no te callás? ¿Por qué no guardás la guitarrita en el estuche? ¿Por qué no te quedaste en tu puto molino?» Y mientras él se deja estrujar por esos brazos, demasiado delgados para las mangas de la camisola que viste, también blanca y con un sol sonriente bordado que sobresale de la pechera del carpintero, comprende hasta qué punto si es artista de algo, si es lícito asociar la palabra artista con alguien que a lo largo de dos horas y media ha brillado por dos cosas, una, entonar con una sonrisa perpetua, la sonrisa «de cantar», «de estar vivo», «de estar juntos», un repertorio de canciones que objetaría indignado el elenco más débil de débiles mentales, dos, citar con su mejor tono de argentino rehabilitado, que deja por fin atrás una penosa abstinencia idiomática, palabras como *joder, vale, camarero, gilipollas* y otras que ha aprendido durante su exilio español, que en su momento lo ampararon y de las que ahora, en el círculo íntimo del «pub», en Buenos Aires, se da el lujo de burlarse –comprende que el cantautor de protesta es precisamente eso, un artista consumado de la cercanía, alguien que nada conoce mejor que el valor, el sentido, la eficacia de la proximidad y sus matices, y compren-

51

de al mismo tiempo la ambivalencia verdaderamente genial de ese abrazo intempestivo que dos o tres minutos más tarde, si el cantautor de protesta no mantuviera sobre él el control firme que mantiene, empezaría a incomodarlo, porque por un lado parece limitarse a traducir, a poner en acto un lazo emocional que ya existía antes entre ellos, lo hubieran advertido o no, y por eso, modesto y recíproco, representa la quintaesencia de lo «entrañable», pero por otro es un regalo, un don, algo que existe y tiene algún viso de realidad sólo por voluntad del cantautor de protesta, porque el cantautor de protesta, como un sacerdote que no respondiera a Dios sino a su propio arbitrio, decide concederlo, y en ese sentido, milagroso y contingente, es un privilegio.

Es una suerte que Bondad Humana, como pasa a partir de ahí a llamar para sus adentros al cantautor de protesta, tenga esa noche algo que hacer, irse a comer con «los amigos» un «buen churrasco» con un «buen tinto», por ejemplo, o cualquiera de los programas de reeducación a los que optan por someterse entonces los argentinos que vuelven del exilio, a menudo tan concentrados e intensivos, es cierto, que los mismos argentinos no los resisten, e interrumpa de ese modo la intimidad que inauguró con ese abrazo inesperado. Porque si se quedara con ellos, con su padre y con él, que, por muy amigos del cantautor que sean, a la hora de la verdad, después de algún cabildeo que no pasa a mayores pero produce cierta víspera de incomodidad, quedan excluidos del grupo duro, el que en breve saldrá tras la pista del «buen bife» y «el tinto», lo que hunde a su padre en esa amargura cuyos síntomas él detecta en el modo en que de golpe todo cambia de signo, de manera que lo que antes fue excitación, entusiasmo, admiración, gratitud, ahora es decepción, inquina, desprecio, y el mismo cantautor de protesta que dos horas y media atrás o incluso durante el concierto, mientras cantaba *Soy el que está por acá / No quiero más de lo que quieras dar / Hoy se te da y hoy se te quita / Igual que con las margaritas / Igual el mar / Igual la vida, la vida, la vida, la vida,* era «valioso», tenía su «autenticidad» y su «gracia» y hasta sabía plasmar cierta «bonhomía argentina», ahora es «un desastre», «miente hasta cuando afina la guitarra» y canta canciones que «ya en los años setenta ni los sordos hubieran soportado» —si se quedara con ellos, si aceptara ir con ellos a comer y su padre en algún momento se levantara de la mesa y los dejara solos, Bondad Humana, quizás amodorrado por el «buen bife» y «el tinto» del que, aun lejos del grupo duro, no se ha privado, no podría evitarlo y se pondría a hablar hasta por los codos, a confesar, a verter en el oído de él su veneno dulce y exclusivo, los secretos que nunca le contó a nadie, los más recónditos y los más miserables, los que ni él mismo sabe que encierra. Eso es de hecho lo que hace con él uno de los mejores amigos de su padre la tarde en que vuelven juntos de una quinta del norte de la provincia de Buenos Aires. Viajan en un BMW último modelo. A la altura de avenida Lugones y Dorrego, con el velocímetro clavado en 175, cuando la conversación parece más que satisfecha con el temario que picotea desde que han dejado la avenida Márquez, las semifinales de Wimbledon, el inesperado fracaso de taquilla de una película policial argentina, la escalada del dólar, el efecto distractivo de los carteles publicitarios a los costados de Lugones, el tipo, con su bigote tupido y sus Rayban impenetrables, un profesional del disimulo, le abre de buenas a primeras su corazón y le cuenta temblando, con palabras que es evidente que usa por primera vez, a tal punto le cuesta pronunciarlas, «amor», «soledad», «tristeza», probablemente las mismas que baraja Bondad Humana cuando se sienta a componer sus canciones, que lo ha dejado su mujer, que ve su cepillo de dientes en el baño y llora, que no duerme, que ya no es capaz de hacerse el nudo de la corbata sin ayuda. Eso mismo es lo que hace a los seis, siete, vaya uno a saber, un anochecer de domingo, cuando en el vestuario de Paradise o West Olivos, ya duchado y cambiado, va hasta el cubículo del encargado del vestuario a devolver su toalla y el hombre, que lo conoce, que ya ha recibido de él miles de toallas, con cuyos hijos, dos, él acostumbra jugar cuando se los encuentra en la pileta, pero con el que nunca ha intercambiado más palabras que las de rigor, prorrumpe en una especie de hipo líquido y le cuenta que ha visto al médico, que está enfermo, que le quedan máximo seis meses de vida.

Veinte años más tarde, una noche en que, eufórico por el amor que de la manera más inesperada ha entrado otra vez en su vida y la ha dado vuelta como un guante, acepta la invitación a una fiesta que una vieja amiga, para celebrar su regreso al país después de veinte años en el extranjero, da en la casa que le han prestado hasta que pueda instalarse por su cuenta, y poco después de comer, mientras monopoliza la sobremesa con un arrebato de locuacidad, una de esas efusiones verbales cuya exaltación sólo se justifica por ese brío típico de las dichas recién estrenadas, y sin duda por el afán de exhibirlas ante quien las causa, en su caso ese cuerpo que, más que enamorarlo, él siente que le ha devuelto la vida y al que esa noche y los tres años que siguen están dedicadas todas y cada una de las cosas que piensa, dice y hace, un hombre de barba, pañuelo al cuello, saco de tweed y botas de montar de antílope, sentado hasta entonces en la mesa frente a él, es decir, también, frente a la que desde hace apenas dos semanas él, ruborizándose, llama mi mujer, se incorpora de golpe y desaparece de su campo visual, y sólo reaparece unos segundos después, a su lado, ya no como imagen sino como voz –primera vez que lo oye en toda la noche, como se le da por pensar en el mismo momento en que siente que el otro se inclina sobre su hombro y empieza a volcarle su cosa infecta al oído: *Eso porque vos nunca estuviste atado a un elástico de metal mientras dos tipos te picaneaban los huevos.* No reacciona. Es incapaz de moverse. Después, esa misma noche, cuando repta entre las sábanas para besar el sexo de la mujer que literalmente acaba de resucitarlo y se embadurna con la esperma que derramó recién en él, se le ocurre que lo que más lo ha pasmado del episodio del oligarca torturado, como de inmediato pasa a llamarlo, a tal punto el estilo de su vestuario, los modales, el porte rígido y la dicción resbaladiza, como de borracho, y por fin el apellido –al que accede, sin decir por qué le importa tanto saberlo, mientras se abrigan en la puerta y se despiden de la dueña de casa que los besa, les agradece que hayan ido y lamenta una vez más, con el tono exagerado con el que se acostumbra lamentar que no haya sucedido algo que jamás tuvo la menor posibilidad de suceder, que «el Gato» no haya estado allí para darle la razón, para corroborar que lo que ella le cuenta en un aparte en medio de la fiesta, que su amigo de los años sesenta, el famoso saxofonista Gato Barbieri, a los cuarenta años de edad, insiste en decir *ónigo* en vez de ómnibus, es rigurosamente cierto–, le recuerdan a los ganaderos, dueños de campos y productores agropecuarios que ha visto de chico, año tras año, en la exposición rural de Buenos Aires, excursión obligada de todo establecimiento escolar argentino –del episodio del oligarca torturado, piensa, lo que más lo pasma es el *Eso* con que empieza la frase de veneno que vierte en el agujero de su oreja. *Eso*, piensa. *Eso* ¿qué? ¿Qué es *Eso*? ¿Qué designa? ¿Todo lo que él ha estado diciendo en los últimos cuarenta minutos de la fiesta? ¿Lo que ha estado diciendo más la felicidad con que lo ha dicho? ¿Todo eso más él, él todo, entero, con su cara y su nombre y lo que hace y la manera de hablar y la edad que tiene? ¿Todo eso, él entero, de pies a cabeza, y poco importa evidentemente que sea la primera vez que el oligarca torturado se lo cruza en su vida, más ella, la mujer en cuyos brazos vuelve a dormirse y querría morir ahora, ya mismo, antes de que amanezca? Y no sólo qué designa sino qué conecta con qué, cómo «soluciona» o cómo y con qué alevosía fabrica la extraña continuidad entre el desborde de efusión que lo arrastra a él, enamorado flamante, pavo real cuyos despliegues de extroversión, en caso de no tolerarlos, sería fácil moderar con humor, frenar cambiando el tema de la conversación o incluso ignorar dejándolo hablar solo, en el vacío, como ya han hecho sin malevolencia varias de las personas que comparten la mesa, convencidas de que el caldo de amor en el que flota es tan pleno y excluyente que descubrirse flotando en él solo no sólo no disminuirá en nada su regocijo sino que acaso lo incremente –cómo liga su felicidad, en una palabra, con las cicatrices que el oligarca torturado esconde bajo el algodón de sus calzoncillos de marca, rastros de una pesadilla indecible que si no ha terminado, como es evidente, no es sólo por la alta probabilidad de que el uniformado que lo secuestró ande suelto por la calle, el que lo obligó a desnudarse no tenga más cuentas pendientes con la ley que una vieja multa por mal estacionamiento, el que lo ató al elástico compre el vino en cartón con el que se emborracha en el mismo supermercado que él, el que lo torturó entre y salga del país como Pancho por su casa y todos, semana por medio, se reúnan a evocar los buenos viejos tiempos en el bar de la esquina, sin temer más represalias que las que pueden propinarles una porción de tarta de acelga en mal estado, una gaseosa sin gas o una cuenta que les cobra más de lo que gastaron, sino también porque todavía quedan en el mundo personas como él, desconocidas, que irrumpen en una fiesta y atraviesan la noche fulgurantes como cometas, encendidos por la mujer que tienen a su lado, que no habla y de la que no pueden separarse, porque si se separaran de ella, como sucedería con la tierra si el sol dejara de brillar de golpe, toda la luz que los envuelve, y que sólo por una ilusión óptica parecen irradiar, se apagaría, y sólo parecen existir para enrostrarle al mundo la evidencia descarada de su dicha. El episodio lo persigue durante algún tiempo. Al tormento de revivirlo con todo detalle, tal como sucedió, se agrega otro quizá más doloroso, sin duda más cruel, el de tener ahora, cuando ya es demasiado tarde, en la punta de la lengua, listas para entrar en acción y hacer polvo al oligarca torturado, todas las réplicas que en su momento no se le ocurrieron. Pero con los años, expulsada de las coordenadas de tiempo y lugar en las que ha ocurrido, la escena pierde vitalidad, se deshidrata y contrae, igual que se reseca el órgano extirpado si no lo acoge pronto el tejido pletórico de sangre y nervios de un organismo nuevo, hasta convertirse en una molestia ínfima, que casi no ocupa espacio ni hace falta disipar, a tal punto su energía hostil se ha debilitado, aunque a la primera de cambio, apenas entra en la órbita de una ofuscación mayor o más actual, convocado por uno de esos signos que de buenas a primeras, sin proponérselo, hacen que el presente más banal rime con una porción de pasado atroz, el pañuelo de seda que alguien lleva anudado al cuello, un apellido de estirpe, las botas de montar perfectamente alineadas que ofrece la vidriera de una tienda de artículos de talabartería, se irriga de golpe, milagrosamente, y vuelve a hostigarlo como lo ha hecho esa noche, la siguiente, muchas de las que han venido después. Y por más que aborrezca al oligarca torturado con todas sus fuerzas, por más que diez años después, con el frenesí un poco payasesco que tienen siempre las venganzas póstumas, que buscan reparar multiplicando saña y encarnizamiento la única tragedia que es en verdad irreparable, no haber estado a la altura de la oportunidad, todavía se despierte en mitad de la noche, aguijoneado por la furia, y del repertorio de venganzas que se arremolinan como moscas a su alrededor, una de las cuales, nacida probablemente de una página del humorista Quino, un chiste gráfico tan antiguo y quizá tan influyente para él como el de la cadena de chismosas de Norman Rockwell, lo insta a averiguar dónde vive y cuáles son sus horarios de entrada y salida, a tocarle el timbre de golpe y porrazo y a sorprenderlo, en el momento mismo en que abre la puerta, con una trompada que le rompe los dientes, con el riesgo, como sucede en el chiste de Quino, de que al abrir la puerta, dados los años que han transcurrido desde el incidente, la víctima que en esa fiesta fuera su verdugo haya vuelto, por esas cosas de la vida, a ser víctima y ahora esté de duelo por la muerte de un ser querido, o enferma, o sumida en una depresión terminal, o desesperada de todas esas venganzas por más que termine eligiendo una, siempre la misma, la que en la lucidez de esa vigilia indeseada le parece la más brutal: enrostrarle una y otra vez, en su imaginación desbocada, la belleza insultante de la mujer que tenía entonces a su lado, verdadera y única razón, entiende él, del ataque de encono del otro, comprende por fin lo mal que hace si toma a ese cretino que le vuelca al oído los vestigios pútridos de su suplicio por un artista del resentimiento, un chantajista sin escrúpulos o un psicópata profesional, lo ciego que está si él, que siempre se ha jactado de restituirle a la dicha el dolor que le hace falta, no se da cuenta de que el oligarca torturado es en rigor la horma de su zapato, alguien que le paga con su propia moneda y a su modo le pregunta: *¿Qué pasa? ¿Cuando la dicha es tuya no hay sospecha? ¿Cuando el dolor es de otro no lo exhumás? ¿Cuando la dicha es tuya y el dolor de otro entre dicha y dolor no hay relación?*

Quien dice dolor dice secreto, dice doble vida. El perfume de muerte que destila ese prodigio de vitalidad que el responsable del vestuario de club ha sido, es y seguirá siendo es un signo tan oscuro y vertiginoso, abre de par en par tantas puertas desconocidas como los suspiros que un amor difícil pone en boca de un hombre que hasta el día de ayer sólo pierde la cabeza por un nuevo modelo de Raybans y la calma cuando su entrenador personal no acude a la clase, y entra en pánico si la mujer en la que acaba de eyacular sigue a su lado cinco segundos después de haberlo satisfecho y encima pretende hablar, o como la idea de una punta de metal electrificada, originalmente diseñada, dicho sea de paso, para un propósito agropecuario como es facilitar el arreo de las vacas hacia el brete, que estremece los testículos de un hombre hasta hace muy poco tiempo ocupado básicamente en subastas de ganadería, viajes, excursiones a vela por el Río de la Plata con chicas en bikini en la cubierta. [...] Le gusta ser el único que conoce esos compartimientos secretos. Podrá despotricar y renunciar a su talento de escuchar apenas lo ha ejercido, abrirse, como se dice, de ese papel confidencial que si se descuida pronto se le volverá un destino, pero nadie le quitará el placer que lo estremece cada vez que alguien se da vuelta como un guante tentado por la disponibilidad de su oreja, que no sólo está ahí, al alcance de la mano, sino que parece hablar, hablar una lengua propia y silenciosa y llamarlo: *Vamos, contame, decime.*

¿Por qué no se hace cura? ¿Por qué no psicoanalista, chofer, puto, recepcionista de uno de esos servicios de asistencia al suicida que en las películas disuaden de arrojarse al vacío con un puñado de frases oportunas a los desesperados que hablan por teléfono mientras hacen equilibrio en una cornisa? *Hay que sacarlo todo afuera / Como la primavera.* No, no piensa lucrar con ese talento que aborrece tan pronto como descubre que lo tiene. La canción, en cambio, la atesora como una especie de himno inconfesable. La náusea. Cuando quiere darse cuenta ya está, ya no hay vuelta atrás: entiende que su canción, esa canción que, sensible como un bloque blando de cera, se deja imprimir por todo aquello que la rodeó o estuvo en contacto con ella y al conservarlo flecha y marca al rojo y pasa a encarnar verdad y belleza al mismo tiempo, en su caso es un engendro sin nombre, atroz, abominable, que no se atreve a tararear en público pero que oye incesante en algún lugar de su corazón, desde donde le dice una y otra vez quién es, de qué está hecho, qué puede esperar. Cura no, ni pensarlo –a menos que por cura se entienda al párroco que interpreta Nanni Moretti en *La messa è finita*, víctima, mártir, precisamente, del aura de comprensión, tolerancia y también sagacidad que lo envuelve, que de algún modo le permite «ascender», puesto que es ese don, raro aun entre los curas, que deberían venir de fábrica con él, el que hace que sus superiores decidan trasladarlo y de la oscura parroquia que administra en una isla del mar Tirreno lo destinen a una oscura parroquia de los suburbios de Roma, y que parece invitar a sus padres, a su hermana, al círculo de amigos con los que se reencuentra después de años, todos estragados por el tiempo, la frustración, la enfermedad, la amargura sexual, el derrumbe de los ideales, y uno de ellos, ex brigadista rojo, por la cárcel, a llorarle una y otra vez, a pedirle consuelo a cualquier hora del día y de la noche, a sepultarlo con lamentos, incertidumbres, súplicas de una salvación que ni él ni nadie está ni estará nunca en condiciones de brindar. Y aun cuando celebra alborozado las escenas culminantes en que el cura, hasta las narices de esa lluvia de ruegos que lo empapa día tras día, sacado, como se dice ahora, pierde los estribos por completo y abofetea a la hermana que pretende abortar, increpa a los gritos al amigo que se hace moler a palos por chupar pijas sin rostro en la oscuridad de los cines, rocía de maldiciones al que, abandonado por la mujer, resuelve encerrarse en su departamento y privar al mundo de su persona para siempre, aun cuando goza como nunca cuando en medio del trance, solo, Moretti se pregunta en voz alta qué creen que es él esa manga de imbéciles para volcarle encima sus problemas de cuarta categoría, igual se pregunta con escándalo cómo no lo hizo antes, cómo tardó tanto en estallar. Pero se lo pregunta él, que ni siquiera ha estallado, ni tarde ni temprano, nunca, y tampoco estallará.

En rigor, de cura lo separa algo «visceral» –un adjetivo que no usa absolutamente en ningún otro caso y del que, como sucede con «entrañable», se protege con el máximo cuidado, como debería protegerse Superman de las dos kriptonitas si la historieta, privada entonces de su mal motor, no corriera el riesgo de naufragar en la atonía: una aversión a las sotanas irremediable, derivada sin duda de la que le inspiran en general los uniformes. No es tanto el costado comunista, de igualdad y reconocimiento a simple vista de la igualdad, que más bien le gusta y hasta desearía ver usado más a menudo en la vida cotidiana, sino justamente el costado disfraz, el costado máscara, la promesa o más bien la evidencia de doble vida que encierran, ya sean uniformes de curas, policías, militares, cajeras de supermercado, alumnos de escuela. Los diseñan para significar sin malentendidos, para que el mensaje que comunican sea simple, directo, unívoco –no quita que para él sean sinónimo de duplicidad, señuelo, cebo de trampa. En todo uniformado no ve una persona sino dos, al menos dos y que se oponen, una que promete seguridad y otra que roba y viola a punta de pistola, una que vigila las fronteras de la patria y otra que saquea y extermina con la escarapela en el pecho, una que bendice y reconforta y otra que se hace pajear por monaguillos en el confesionario, una que sonríe y opera la caja registradora con profesionalismo y otra que suma productos que nadie ha comprado, y de esas dos hay una, la secreta, la que se agazapa detrás del verde oliva, la insignia de grado, el cuello sacerdotal, incluso el pañuelo y el saco de tweed y las botas de montar del oligarca torturado, que, probablemente ausentes de un catálogo oficial de uniformes, ocuparían doble página central en cualquiera dedicado a los usos y costumbres de la clase alta argentina, que es la persona que él teme, pero no tanto por lo que pueda hacerle, porque, alertado ya por el signo del uniforme, sabe de antemano el as artero que esconde bajo la manga y cómo evitarlo, como porque en algún momento, tarde o temprano, ese doble clandestino lo verá, lo reconocerá, le tocará un hombro, le confiará a él, sólo a él, lo que le arde en el pecho.

[...] Por irónico que suene, mientras hace estallar vestido de Superman el vidrio de la puertaventana que da al balcón del cuarto piso de Ortega y Gasset, abajo, en la calle, que con el tiempo empieza a recordar en blanco y negro, con árboles sin hojas cuyos troncos pintados a la cal, como los de un pueblo asolado por una peste, balizan regularmente la vereda, las pocas personas que se ven caminando, subiendo o bajando de automóviles o entrando o saliendo de edificios que, salvando detalles menores, sólo reconocibles para los que llevan años viviendo en el barrio, son prácticamente idénticos, están uniformadas. Natural: son militares, como son militares el barrio, el ingeniero que diseñó los edificios, la mayoría de los nombres de las calles, el hospital encaramado en la cima de una barranca en el que cada tanto, en medio de un estrépito que él, a pesar de que no es la primera vez que lo oye y sabe por su madre qué lo causa, en un primer momento se empeña siempre en atribuir a alguna clase de catástrofe natural que no dejará sobrevivientes, aterrizan helicópteros que imagina llenos de soldados sangrantes –como son militares los jeeps, los camiones, incluso los autos particulares, reconocibles por ese característico derroche de insignias patrióticas, que muy de vez en cuando aparecen en la calle, y el ex dueño del departamento en el que vive, un piloto de la Fuerza Aérea al que su abuelo conoce en una luna de miel grupal, un recurso que la época, mediados de los años treinta, pone en práctica para disimular, al menos durante las primeras semanas que siguen a la boda, el cáncer que por entonces viene implícito en todo contrato matrimonial, el aburrimiento, del que no tarda en hacerse amigo, al que saca del apuro en que lo hunde un vicio nunca aclarado del todo, juego, mujeres, negocios sucios, y que por fin, cuando es evidente que no podrá devolver el préstamo como lo recibió, en dinero, porque el juego, las mujeres, los negocios sucios o lo que sea que lo ha hecho caer tan bajo siguen consumiéndolo, se lo paga de una sola vez con ese departamentito de tres ambientes que la Fuerza, como la llama, le vendió en condiciones muy favorables cuando se casó y que, demasiado estrecho para sus pretensiones, demasiado altas, como corresponde a un aviador, nunca llegó a usar –como es también militar, parece, el vecino de bigote finito y pelo al rape que, alertado por el estruendo del ventanal que estalla y los gritos de su madre y sus abuelos, que ya se imaginan al pequeño Superman desfigurado, se apura en tocarles el timbre y cuando su abuela le abre, todavía estremecida por la risa de histeria que la asalta al comprobar que de milagro no ha pasado nada, entra, da sin pedir permiso tres zancadas ágiles y se planta en el extremo del living del departamento, en parte para, como él mismo lo anuncia, ofrecer su ayuda, en parte para verificar de primera mano qué clase de incidente ha podido arrancarlo de la siesta, como lo prueban la musculosa blanca y la camisa verde abierta encima, los pantalones abrochados a las apuradas y los pies descalzos, pequeñísimos.

Así como más tarde, transcurridos los años que las ruinas del pasado necesitan para apuntalar una ficción que siempre habla de otro, él ve las fotos de esa tarde, que su abuelo ha tomado para probar la cámara recién comprada, y las imperfecciones flagrantes del traje de Superman le arrancan carcajadas, no sólo las que trae de fábrica, el dobladillo descosido que él arrastra al caminar y a veces aplasta con el talón desnudo, los botones demasiado visibles, las costuras abiertas en las axilas, la tela que sobra y cuelga en el pecho, sino también las que él mismo le ha inferido en los veinte minutos que pasan desde que lo desembala, enganchando una manga con uno de los ángulos de la caja y rociando con un estornudo de leche chocolatada la «S» mal dibujada, por otra parte, que debería estallarle de tensión en los pectorales, así, pero al revés, cada vez que baja a patrullar la calle con su triciclo y se cruza con una pareja de militares, mínimo dos, porque alguna ley que él ignora parece prohibir que los militares caminen de a uno, lo que lo deja estupefacto es el aspecto absolutamente impecable que esos uniformes lucen de frente, cuando avanzan hacia él, y de espaldas, cuando él deja de pedalear y vuelve la cabeza para mirarlos, planchados, limpios, parejos de color, perfectamente a medida, flamantes, como si acabaran de salir no de la tintorería, que mal que mal alguna huella habría dejado en ellos, sino de los talleres mismos donde los confeccionan. Bien peinados, con la gorra donde debe estar, los zapatos lustrosos, el maletín oscuro a la altura adecuada y el paso siempre sincronizado, todo condena a los militares a la parodia, al mazapán, a la ingenuidad de los muñecos de torta. Pero él los ve, los ve de a dos, muy juntos, a la vez únicos, porque los civiles brillan por su ausencia en el barrio, y demasiado ralos, como si, ejemplares de una especie exquisita o moribunda, evitaran a toda costa derrocharse –los ve tan nuevos que se le cruzan por la cabeza los alienígenas de la serie *Los invasores* cuando adoptan forma humana, la única, por lo que él recuerde, en que aparecen, porque si tienen alguna otra, una forma original, la que se supone que traen del planeta del que huyen, él nunca la ha visto. Esa forma, *Los invasores* se la debe. Y esa deuda que la serie renueva episodio a episodio, además del carisma desvalido de David Vincent –héroe de una ficción que bien pensada sólo trata de un problema, la esperanza, cómo tenerla y perderla, cómo renovarla, y establece como un axioma esto: que la esperanza es sólo una diferencia, un resto que nunca brilla tanto como cuando tiende a cero–, es quizá lo que más lo induce todas las tardes, cuando vuelve de la escuela, a posponer las obligaciones más apremiantes para abismarse durante media hora frente al televisor.

[...] Pone el triciclo en posición, se sienta, y cuando apoya en el pedal el pie que ya a los cua-

70

tro, cuatro y medio, para vergüenza de su madre y su abuela, que cada vez que se dejan sorprender por esa obra maestra precoz de la deformidad esconden sus propios pies bajo la mesa ratona, empieza a curvarse por la presión del juanete, mira la calle desierta y huele algo en el aire, como los gatos. Alza los ojos, ve lo que pasa. No se mueve nada. Viento hay, una brisa linda le despeina el pelo que su abuelo sueña una y otra vez con cortarle, con ver amontonado en parvas en el piso reluciente de una peluquería que no admite mujeres, pero las pocas hojas que resisten en las ramas de los árboles están quietas, como si fueran de utilería. Baja los ojos al nivel del triciclo y ve a los militares venir juntos, tan al unísono que su andar parece ensayado. Ejecutan. Están siempre en misión. Hay un factor zombi en la limpieza mecánica de sus gestos, la falta de titubeo, la determinación con que se mueven. No es que no se distraen: la distracción, como respirar bajo el agua para un pájaro, ni siquiera representa una posibilidad para ellos. ¿Quiénes son? ¿De dónde vienen? Más que de un hogar, con sus livings calefaccionados, sus dormitorios a medio hacer, sus baños todavía empañados por el vapor de una ducha, más que de una oficina, con sus sillones giratorios, sus cortinas de baquelita, sus pisos alfombrados, se los imagina veinte minutos antes y los ve emergiendo de las cápsulas vidriadas en las

71

que han hibernado toda la noche y que se abren de golpe, activadas quién sabe por qué cerebro central, con un chasquido que se prolonga en una exhalación, muy parecido al que años después harán los ómnibus de línea, no *ónigos*, cuando frenan y se detienen –las mismas cápsulas, mezcla de viejos secadores de pelo y ascensores transparentes, donde los invasores de *Los invasores* pasan en estado de inanimación el tiempo en el que no están ocupados tomando el control de fábricas de armamento, apoderándose de canales de televisión o anidando en los cuerpos de un elenco de terrícolas estratégicos. [...] Si algo sale al cruce del plan que los militares tienen que cumplir, y algo es cualquier cosa, un perro vagabundo que se echa a dormir bajo la cubierta dentada del jeep, un portero que los ve venir y sigue baldeando la vereda, él mismo, con su triciclo y la señora que lo cuida, cualquier obstáculo que una voluntad enemiga interpone en la trayectoria dibujada en el mapa que guardan doblado en cuatro en alguno de los bolsillos del uniforme impecable, la sorpresa, la ofuscación, el disgusto que sienten, y las reacciones inmediatas a que se exponen, son parientes directos de la chispa de contrariedad, y luego la determinación criminal, que destella en los alienígenas cuando alguien les da a entender, casi siempre sin quererlo, que sabe que no son lo que parecen.

¿Cuánto tarda en darse cuenta de que en él es al revés, de que ya en ese él que viendo venir a los alienígenas mira a la mujer que lo cuida y mantiene el pie quieto en el pedal, quieto hasta que se le acalambra, primero está la ficción y después la realidad, pálida, lejanísima? Eso explica que, como a su tiempo la opción cura, la opción puto haya quedado descartada a la hora de explotar su facultad para la escucha. Para puto Puig, piensa. El escritor Manuel Puig, que no soportaba que lo real estuviera tan lejos, que llegaba a lo real acelerando, acortando camino por la vía de la ficción, su verdadero y único *intermezzo*. Él, la ficción, la usa al revés, para mantener lo real a distancia, para interponer algo entre él y lo real, algo de otro orden, algo, si es posible, que sea en sí mismo otro orden. De ahí todo, o casi todo: leer antes incluso de saber leer, dibujar sin saber todavía cómo se maneja el lápiz, escribir ignorando el alfabeto. Todo sea por no estar cerca. (La precocidad, como más de una vez ha pensado, sólo sería un dialecto de esta obsesión de lo mediato.) A la inversa de lo que le parece adivinar que sucede en muchas de las películas blanco y negro que ve los sábados por la tarde por televisión mientras su madre duerme una especie de mona eterna, donde los extraterrestres, que aparecen siempre precedidos por el ominoso ulular del théremin, son el símbolo de los invasores comunistas, para él los militares son el símbolo de los extraterrestres, así como el hospital encumbrado en la barranca es la metáfora del laboratorio donde se regeneran sus organismos y los jeeps, los tanques, los camiones-oruga la encarnación terrestre de medios de locomoción tan avanzados que la imaginación humana es incapaz de concebirlos. A él, sin ir tan lejos, le basta con los uniformes. Nunca una arruga, una mancha, una solapa doblada. ¿Cómo es posible?

Una de esas tardes raras en que su madre, fruto de una noche sin pesadillas o un cóctel de fármacos bien calibrado, decide para su sorpresa llevarlo ella misma de paseo a la plaza, él se mete en el pequeño ascensor y se acomoda como puede en el resquicio que ha quedado libre. Es una franja de espacio mínima, acorralada entre la puerta y el triciclo que su madre, que sólo ha tenido que lidiar con el vehículo una vez, el día en que los abuelos caen de improviso con él en el departamento y alguien –alguien que no puede ser su abuelo, que tiene la costumbre de agotar su modesta cuota de generosidad en la cosa que regala y después limitarse a contemplar, como si pertenecieran a una jurisdicción ajena, todas las operaciones verdaderamente cansadoras que el regalo desencadena– debe encargarse de liberarlo de los bloques de telgopor que lo inmovilizan y sacarlo de la caja, recién ha logrado hacer entrar en el cubículo después de un penoso forcejeo, y esto de la manera más incómoda y antieconómica posible: atravesándolo en diagonal, lo que divide el espacio del ascensor en dos triángulos sin proporción alguna. Así, su madre, que no ha puesto aún un pie en la calle y ya se ve, por la cara que tiene, que daría todo por volverse a la cama, ponerse otra vez el camisón, bajar las persianas, tomarse otra pastilla y dormir hasta que se haga de noche, cierra la puerta de reja y aprieta el botón de la planta baja cuando irrumpe desde afuera una mano que abre la puerta de golpe y detiene el ascensor que acaba de arrancar. Es el vecino, el vecino militar. Se disculpa y entra y con él, envolviéndolo, entra una nube helada de perfume, una de esas fragancias baratas que sólo la buena voluntad, o el hecho de que aparezcan asociadas con un cuerpo humano y no con un lugar vacío forrado de azulejos, impiden confundir con los desodorantes de ambientes que se respiran en la mayoría de los baños de los lugares públicos. Entra uniformado, como no puede ser de otra manera, y sólo el uniforme a simple vista limpio, planchado, impecable, como todos los que ve en la calle lucidos por sus dobles de Alfa Centauro, puede hacer que él desvíe los ojos de lo que los mantiene cautivos desde hace algunos segundos: la ranura de oscuridad que acaba de abrir demasiado cerca de sus piecitos el desnivel entre el piso del palier y el del ascensor, en la que siente que su cuerpo podría caber sin problemas y por la que ya se imagina, cospel humano, deslizándose hacia el abismo. Bajan en el ascensor –su madre y el vecino de aquel lado del triciclo, juntos, él de éste, con la rueda delantera del triciclo, que sigue girando por inercia, rozándole el flequillo, y aprovecha que su madre y el vecino intercambian unas frases protocolares en las que es evidente, sin embargo, lo mucho que ambos ponen de sí, mucho más de lo que la índole del diálogo les exige, su madre, sin duda, para apuntalar una respetabilidad que cree dañada por su condición de separada joven ya con la carga de un hijo, el militar quién sabe, quizá porque la desea, quizá porque se pregunta quién podrá ser esa separada joven ya con la carga de un hijo que sólo escucha jazz, se viste a la última moda y no consigue pegar un ojo sin somníferos, quizá porque él también tiene algo que ocultar –aprovecha entonces para escrutar de arriba abajo el uniforme del vecino. Otra vez la misma fascinación, el encandilamiento, el estupor en que lo sumen esas telas lisas, homogéneas, limpias de la más mínima irregularidad, cuya tersura, que no es de este mundo, sólo se le ocurre comparar con la de la carrocería de metal, si es que hay metal, naturalmente, en Alfa Centauro, de las naves en las que viajan los invasores. Y sin embargo, al segundo o tercer rastrillaje, sus ojos, después de subir y bajar, se dejan sorprender por una disonancia, algo que parece hacer ruido en el ruedo de la chaqueta, allí donde la mano del vecino abre y cierra una y otra vez esos dedos esbeltos y relucientes, evidentemente manicurados, sobre un juego de llaves. El forro de la chaqueta, descosido, deja escapar una lengua lánguida por debajo del ruedo.

Cambia todo, evidentemente. Porque si ya el uniforme joya es una señal de falsedad, una fachada trampa, ¿qué no será entonces un uniforme fallado? No lo puede creer. Le parece que su cabeza se pone a decir que no por su propia voluntad, sin que él haya tenido que ordenárselo. Siguen bajando. La nube de perfume, antes suspendida a la altura de la cabeza y los hombros del vecino militar, donde fue evidentemente rociada hace unos minutos, ha empezado a disolverse y precipitar, ya se desploma sobre él como un manto dulzón, mezcla untuosa de menta y flores y bosques patagónicos que, aunque él mantiene labios y mandíbulas apretados, más por la incredulidad que le produce el desperfecto del uniforme que para defenderse del vaho, termina metiéndosele en la boca y haciéndole estallar miles de chispas efervescentes contra el paladar. Tiene el forro descosido enfrente, a la altura de sus ojos, barrido por la rueda delantera del triciclo que sigue girando. Está tan cerca, piensa, lo tiene tan de frente, y tan en foco, que es casi como si él mismo lo hubiera descosido. Le da miedo de golpe que lo acusen. Decide no mirar, desvía los ojos y los clava en las puntas de sus propios zapatos, donde el cuero negro tiende a descascararse. Cuando pasan del tercer piso al segundo, la bocanada de perfume se espesa y solidifica a las puertas de su garganta: una pasta densa, todavía maleable, como la que un dentista alguna vez usa para forrarle los dientes y tomarle un molde de la boca pero que en segundos será dura y seca como una piedra. No tarda en ahogarse. Están llegando a planta baja cuando lo asalta una arcada, la primera, la más importante de las tres o cuatro que desembocan, poco después de que el vecino militar, previendo lo que se viene, se apure a abrir la puerta del ascensor, en la vomitada más portentosa que le haya tocado en su vida.

No es su madre la que toma las riendas de la emergencia, más preocupada, siempre, por el aspecto social de la situación, la vergüenza ante el vecino, la reacción que el enchastre del hall provocará sin duda en el encargado del edificio, el compromiso en el que la pone el hecho de recibir ayuda y la deuda que asume no al aceptarla, porque todo sucede tan rápido que ni siquiera hay tiempo para ofrecer ni aceptar, sino al no rechazarla, que por su aspecto materno-filial o médico.

No es ella, que sólo atina a una serie de amagues espasmódicos, sin la menor convicción, agacharse hacia él, incorporarse con cara de asco, buscar algo en su cartera, un pañuelo, un diario, un remedio, algo que evidentemente no trae y que además no ayudaría y que simplemente representa su idea de la ayuda en un mundo abstracto, lejanísimo, el único en el que se imagina a sí misma ayudando, sino el vecino militar, que no vacila en poner en peligro el planchado perfecto de sus pantalones y, arrodillándose junto a él, que boquea reflejado en los cerámicos del piso, lo sujeta con delicadeza de las axilas y lo insta a seguir, a vomitar otra vez, todas las veces que hagan falta, dice, hasta aliviarse del todo, y las palabras que usa para alentarlo, como él mismo, llegado el momento, no deja de asombrarse y reconocerlo, cruzan el tiempo como flechas y repercuten en las que una noche, en el «pub» de Belgrano, canta con su guitarrita criolla y le clava en el corazón el cantautor de protesta amigo de su padre. En diez segundos tiene el cuerpo empapado de sudor, está helado, se pone a temblar. No bien ve que ya no volverá a vomitar, el vecino se sienta en el piso, recoge las piernas y lo acomoda en la cuna improvisada de sus muslos. Él se deja hacer. Le gustaría resistir, debatirse entre esos brazos desconocidos que ahora, en contacto con su cuerpo, lo sorprenden por flacos, por delicados, y en un momento, mientras pasa del piso duro al lecho que forman las piernas del vecino, hasta mira a su madre desde abajo con la intención de darle a entender, no hablando, porque teme que si abre la boca todo vuelva a empezar, sino mediante algún signo mudo pero elocuente, que si no se debate, si se deja llevar y acepta la hospitalidad del desconocido, no es porque lo desee o lo haya decidido sino sólo porque no tiene fuerzas para hacer otra cosa. No es su madre, de todos modos, la persona que ve cuando levanta los ojos, o al menos no la reconoce del todo en la mujer que, vestida sin embargo como su madre, lo suficientemente parecida a su madre para poder hacerse pasar por ella, mira durante un segundo el abanico de vómito que se despliega en el piso, la cara desfigurada por una mueca de disgusto, y después de decir dos veces algo sin sonido, una frase que él descifra leyéndole los labios, *Qué horror, qué horror*, anuncia casi sin voz, como si también ella estuviera a punto de vomitar, que sube en busca de un trapo mientras se precipita hacia el ascensor y lo abandona en brazos del desconocido.

[...] Ya no le alcanzan los dedos de las manos para contar las veces que ha intentado recordar el episodio con su madre y su madre lo ha mirado con sorpresa, con una especie de pasmo remoto o incluso con escándalo, como si en la insistencia de él en rememorar la escena no viera una avidez genuina de saber sino la voluntad obstinada de confundirla con otra persona. «No fue conmigo», dice ella, y aunque a su manera confirma, en efecto, la impresión de extrañeza que él tiene entonces, en el hall de entrada del edificio, cuando la mira y no consigue reconocerla, el hecho de que niegue una y otra vez haber participado del episodio y aborte así la posibilidad misma de darle algún crédito, de hacer un esfuerzo y afinar mejor el recuerdo, eso basta para sacarlo de quicio. Tampoco es que él recuerde mucho. Pero ¿no es justamente por eso, porque las huellas que el episodio ha dejado en él, niño, débil, enfermo, son vagas, indecisas, y a duras penas toleran nombres genéricos, «vecino», «departamento», «tarde», tan pertinentes para evocar ese episodio como cualquier otro –¿no es ésa la razón por la que más necesita él que su madre diga que sí, que estuvo ahí, y participe con él de la reconstrucción de la escena? No recuerda casi nada, a decir verdad; lo poco que queda se le va borrando con el tiempo, con su propia distracción, con las negativas sistemáticas de su madre. Cada vez que ella rechaza haber estado en el episodio, ni hablar cuando rechaza que el episodio pueda haber sucedido, él siente que pierde una parte vital de la escena, no una parte de las que ya están en su poder, por otro lado muy pocas, sino una nueva, todavía desdibujada pero promisoria, que tal vez le permitiera deducir todas las que le faltan pero que el mutismo de su madre, infalible, devuelve de inmediato a las penumbras de las que recién empezaba a salir. Él, en rigor, lo único que recuerda bien es lo último, lo que sucede una fracción de segundo antes de quedarse dormido en brazos del vecino. En voz muy baja pero al oído, del que, por tener su cuerpo recostado sobre las piernas, goza de una perspectiva ideal, el vecino ha empezado a cantar, se le ha dado por arrullarlo con una canción infantil, y mientras canta le ha tomado las manos heladas para frotárselas, sin pensar, naturalmente, que en las yemas de los dedos encontraría esas rayitas verticales rojas que no le pasan inadvertidas, que examina de cerca y roza apenas con las yemas de los suyos, como si sólo lo mismo pudiera conocer y curar a lo mismo, hasta que él, sobresaltándose, retira los dedos avergonzado, con el último aliento que le queda, antes de sucumbir a la canción y caer dormido.

El 11 de septiembre de 1973, de visita en casa de un amigo dos años mayor, una de esas amistades desparejas que han sido y serán su especialidad y en las que él siempre es el menor, sale del cuarto de su amigo para buscar una ración del budín marmolado que lo pierde y cuando vuelve, con cuatro rodajas oficiales en el plato y dos clandestinas en el estómago, lo sorprende sentado en el borde de la cama, llorando sin consuelo frente a la pantalla del televisor blanco y negro donde el Palacio de la Moneda de Santiago echa humo por todas las ventanas, cuatro veces bombardeado, a lo largo del día, por escuadrones de aviones y helicópteros de la Fuerza Aérea, mientras la voz compungida de un locutor de noticiero repite el rumor según el cual Allende –el todavía presidente Salvador Allende, como lo llaman, vaya a saber uno si por simpatía, por escrúpulo jurídico, en el sentido de que Allende no dejará de ser presidente de Chile cuando el Palacio que era sede de su poder quede reducido a cenizas por el fuego militar, sino cuando haya otro que ocupe su lugar, o simplemente por desconfianza, por un recelo profesional hacia los rumores que la insistencia con que el locutor se hace eco de éste no hace sino contradecir– se habría suicidado, después de resistir en el interior del Palacio con sus colaboradores más cercanos, disparándose en la boca con el fusil AK-47 que alguna vez le regaló Fidel Castro. Lo ve llorar, y antes de que entienda con todas las letras por qué llora, antes de conectar todo lo que sabe de las convicciones políticas de su amigo, muy parecidas a las suyas pero, según la impresión que siempre lo ha torturado, tanto más convincentes, a tal punto que desde que lo conoce y se familiariza con su posición política, como ambos llaman a eso que por entonces es obligatorio tener, que nadie puede darse el lujo

83

de no tener, siempre se ha sentido de algún modo como un impostor, el doble pálido de su amigo, el farsante que repite en un lenguaje débil, plagado de reflejos automáticos y fórmulas de segunda mano, todo lo que de labios de su amigo parece brotar en la lengua natural de la verdad –antes de conectar todo lo que sabe de su amigo con las imágenes que ve, que evidencian hasta qué punto sus convicciones políticas acaban de sufrir una herida de muerte, siente una ola de envidia que le corta literalmente el aliento. Él también quisiera llorar. Daría todo lo que tiene por llorar, pero no puede. Ahí, parado en el cuarto de su amigo, mientras convoca a las apuradas las tragedias, todas virtuales, en las que confía para recibir la bendición de una congoja instantánea, se da cuenta de que no llorará. No sabe si son las imágenes, que por algún motivo no le llegan tanto o tan profundo o tan nítidas como a su amigo, o si son los dos años menos que tiene, que así como le dan prestigio –puesto que lo consagran como ejemplo de una tradición de precocidad política, la comunista, que cuenta ya con una larga lista de ejemplos notables, es decir: alguien que a los trece lee y comprende y hasta objeta con fundamento ciertos clásicos de la literatura política del siglo XX que pondrían contra las cuerdas a los militantes más experimentados–, así también de algún modo lo debilitan, disminuyen en él la capacidad física o emocional de experimentar la política que en su amigo, a los quince, está ya a pleno. O ¿no será en realidad que la presencia y el dolor de su amigo, sentado frente al televisor, con la cara, como buen miope, casi pegada contra la pantalla, absorbe de tal modo el significado y la fuerza de la información que irradia el aparato que para él ya no queda nada, ni restos, ni una miga del tamaño de las que él mismo acaba de dejar en la cocina al zamparse las dos rodajas de budín marmolado, nada que pueda afectarlo y traducir en él todo lo que entiende –porque lo entiende todo y mucho mejor, sin duda, que su amigo, a quien esa misma mañana, sin ir más lejos, le explica con tres o cuatro brochazos de impertinente lucidez la cadena de causas y efectos que une una vulgar huelga de camioneros con el derrumbe de los mil días de la primera experiencia de socialismo democrático de América Latina– al idioma último o primero de los sentimientos? [...] Envidia el llanto, desde luego, lo incontenible del llanto y todo el circo a su alrededor, los lagrimales rojo sangre, las erupciones de rubor, los accesos de hipo que sacuden a su amigo, la saña desconsolada con que se refriega las manos, el modo en que cada tanto se cubre la cara para ahogar, quizá para estimular, una nueva racha de lágrimas. Pero más que nada envidia lo cerca que su amigo está de las imágenes que lo hacen llorar –tanto que se diría que roza la pantalla con la punta de la nariz, la fachada en llamas del Palacio de la Moneda con la frente, las columnas de humo que brotan de las ventanas con sus labios inflamados, a tal punto que él, que lo contempla de pie, con el plato de budín marmolado en la mano, empieza a preguntarse si una lágrima, una sola de los miles que su amigo, contando plata adelante de los pobres, como se dice, no para de verter, no podría electrocutarlo si hiciera contacto con la pantalla del televisor.

No lo soporta. ¿Por qué no está así de cerca, él? ¿Qué lo separa de eso que entiende tan bien, que entiende mejor que nadie? Le parece que el mundo nunca ha sido tan injusto: sólo él tiene derecho a llorar, pero sus ojos están tan secos que podría frotar un fósforo contra ellos y prenderlo. Y es ese mismo derecho que siente que le niegan a él, que reúne más condiciones que nadie para merecerlo, el que ve y reconoce y se ve obligado encima a contemplar mientras sostiene el plato de budín marmolado en el otro, en su amigo, hecho una lágrima, como una condecoración mal asignada, la misma clase de privilegio descarado por el cual sospecha que los campesinos de la Edad Media, cuando se hartan, es decir cada muerte de obispo, se amotinan y pasan a degüello en unas horas de frenesí a la familia de nobles cuyos pies están acostumbrados a besar todos los días. El 11 de septiembre de 1973, veinticuatro horas antes incluso de que él y su amigo, que con el Palacio de la Moneda en llamas resuelven instalarse frente al televisor y, como el mismo Allende allá, en la pantalla, en la Moneda, resistir, no moverse de la posición hasta recabar algún dato fehaciente sobre la suerte corrida por Allende, por sus colaboradores cercanos y por la vía chilena al socialismo en general, asistan al momento imborrable en que dos filas de bomberos sacan por Morandé 80, una de las puertas laterales del Palacio en ruinas, el cuerpo sin vida de Allende tapado por un chamanto, como él y su amigo se enteran entonces de que se llama esa manta en Chile, y su amigo vuelva a romper a llorar y él, en cambio, nada, ni una gota, no sólo no suelte una mísera lágrima sino que tampoco pueda cerrar los ojos –ese día fatídico, pues, maldice el día también fatídico, siete años atrás, en que decide no ceder más, no darle el gusto a su padre, dejar de llorar para siempre.

El club, otra vez. Algo le ha pasado. No algo «real», algo «del mundo», sino uno de esos nudos súbitos y aterradores que cada tanto se le forman en el pecho, sueltan su carga de tinta tóxica y empiezan a querer aspirarlo todo, sangre, oxígeno, órganos, corazón, corazón sobre todo, como un desagüe voraz que si algo milagroso, algo que nunca llega a saber qué es, no lo detuviera de golpe, se lo chuparía entero, dejando en su lugar, en la superficie del mundo, una pequeña protuberancia con forma de botón, de botón de colchonería. [...] Tiene la impresión de que si se queda quieto todo tenderá a agravarse, de que el lugar en el que lo ha asaltado la cosa, la confitería del club, que desde siempre ha llamado, siguiendo la costumbre de los socios más antiguos, de una pedantería encantadora, buffet, se volverá denso, irrespirable, y lo ahogará. Emprende la fuga, una vez más, como siempre, hacia el vestuario, y es ahí, apurando el paso por la larga vereda en damero que bordea la cancha uno, donde lo sorprende su padre, vaso en mano, toalla colgada del hombro, que camina en la dirección contraria hablando con su compañero de dobles. Él baja enseguida los ojos, busca empequeñecerse, pega el cuerpo contra la enredadera que cubre la pared del vestuario de damas. Se cruzan. Es el compañero de dobles, no su padre, el que al pasar a su lado le acaricia con afecto distraído la cabeza. Él sigue su camino feliz, tan feliz del éxito de su sigilo, de no haber sido visto por su padre, que le parece mentira, y el horizonte que ahora ve abrirse ante él es tan amplio y limpio, está tan lleno de promesas, que el agujero negro que le crecía en el pecho y lo había empujado a huir pierde fuerza y se desvanece, pero no bien da dos pasos arrogantes en su vida nueva, su flamante vida de indultado, oye la voz de su padre que lo llama.

88

¿Detenerse o seguir? Vacila un segundo —lo suficiente para que sea tarde. Gracias a esa fracción ínfima de duda su padre sabe que ha sido escuchado, sabe que por alguna razón es ignorado, sabe que hay algo ahí, en el hijo que está a punto de enfilar hacia el vestuario, siempre pegado a la enredadera, que se le resiste y lo llama. Y él, el descubierto, que reconoce en el tono de sorpresa con que su padre lo llama la ofuscación del que entiende que ha hecho algo por otro que el otro debería haber hecho por él, en vez de parar y darse vuelta, como su padre y el compañero de dobles esperan que haga, reanuda la marcha y rumbea hacia el vestuario a paso normal, como lo haría si fuera a ducharse o a buscar el tubo de pelotas que olvidó en su *locker*. No ha dado tres pasos, sin embargo, y ya siente a su padre atrás, ya escucha su voz que, ahora con alarma, vuelve a llamarlo. No hay vida nueva, no hay horizonte, no hay indulto. Todo ha fallado. Sólo queda escapar, y si quiere escapar no le queda más remedio que apurarse. Pasa casi al trote junto a la ventana minúscula, ya prácticamente enmascarada por la enredadera, que en invierno, cuando son las cinco de la tarde y es de noche, usa siempre para espiar a las mujeres que se duchan y que siempre lo decepciona, a tal punto la empaña el vapor de las duchas, y entra al vestuario a toda carrera. Atrás, muy cerca, irrumpe su padre jadeando, llamándolo a los gritos. Él sube los escalones, sortea el banco que alguien ha dejado atravesado como una valla, cierra de un golpe de hombro la puerta de un *locker* abierto y se detiene en vilo en el ángulo del fondo del vestuario. No hay donde ir. Se da vuelta, ve a su padre acercarse sin aliento, desconcertado. «¿Qué pasa?», le dice, «¿por qué te escapás así?» Él se sienta en el piso –su cuerpo cabe en el espacio entre dos puntas de bancos que deberían tocarse– y pega la frente contra las rodillas. «¿Pasó algo?», le dice su padre, y él oye esa voz que se endulza y se tapa los ojos con las manos. Mantiene los dedos muy juntos y tiesos, como hace cuando ve películas de terror en el cine. *Black out* total. «Hablame, por favor», le suplica su padre. «Nosotros siempre hablamos», dice. Hay un silencio. Él oye lejos el motor de una cortadora de pasto. De pronto siente el aliento de su padre entibiándole las rodillas. «¿No querés hablar conmigo?» Entreabre apenas los dedos, lo suficiente para ver sin que lo vean; ve un mundo muy negro, animado por chispas débiles, que clarea rápido y se pone en foco: su padre espera en cuclillas. Tiene los ojos húmedos de un perro viejo. Cuando él siente que el nudo reaparece, ahora para llevárselo, vuelve a juntar los dedos y se enceguece. Escucha: «Dale, hablame. Llorá conmigo.» Y sin ver, como disparado, salta hacia delante, embiste a su padre, que cae de espaldas, y huye.

Adónde, en qué dirección, eso es lo que se pregunta esa tarde negra en casa de su amigo, cuando el Palacio de la Moneda arde tres veces, una en Santiago, otra en la pantalla del televisor, la tercera en su corazón comunista, precoz pero deshidratado, y él daría lo que no tiene por llorar, por hacer que aflore a sus ojos una, una sola, al menos, de todas las lágrimas que le niega a su padre en el vestuario del club y que el 11 de septiembre de 1973 inundan los ojos de su amigo. Lo cierto es que cuarenta y ocho horas más tarde se levanta temprano, más temprano que de costumbre, se viste, pasa por el baño como una exhalación, se saltea el desayuno, toma un taxi con el dinero que ha venido ahorrando para comprarse la nueva edición anotada de los *Grundrisse* de Marx y se baja a media cuadra del colegio, cerca de la entrada de la planta de la Fiat, en el claro milagroso que reserva, seguramente a cambio de una suma de dinero, el *pool* de corporaciones francesas que también financian el colegio, donde un ejército de choferes amenazantes estaciona los Lancia, los Volvo, los Alfa Romeo en los que viajan los alumnos más ricos, y permanece allí apostado, escrutando con impaciencia el fondo de la calle, y apenas ve arrimarse al cordón de la vereda el auto en el que viaja su novia, la novia chilena con la que novia desde hace cinco meses –un lapso que no puede sino provocar estupor en sus amigos, que si han tenido novia ha sido con toda la furia apenas por un fin de semana, tiempo suficiente, en todo caso, para desflorarlas en el cuarto de herramientas del jardín y abandonarlas o para comprender que no serían ellos los elegidos para desflorarlas, y también en las ex novias de sus amigos, que no dejan de preguntarse cómo lo logra, cómo lo mantiene atado–, baja entonces a la calle de un salto y abre la puerta antes de que el coche pueda detenerse, menos diligente que expeditivo, como si temiera que el chofer, por alguna extraña razón, pueda cambiar de idea a último momento, él, que no hace sino obedecer órdenes, y lleve de vuelta a la pasajera rubia que cabecea en el asiento trasero al piso fastuoso por donde la recogió, en cuyo balcón, ahora, vuelven a flamear desde hace cuarenta y ocho horas los mismos colores chilenos que cuelgan del espejo retrovisor del coche, y no bien su novia apoya en el pavimento una de las adorables botitas de gamuza que él la alentó a comprar y lo mira, todavía adormilada por la hora pero feliz, agradeciéndole con una de sus sonrisas de muñeca carnosa la galantería de la bienvenida, él le dice que se acabó, que ha dejado de quererla, que han terminado y ya no volverán a hablarse nunca.

Durante una semana, mientras los militares golpistas limpian las calles de Chile de todo brote opositor, reacondicionan los estadios deportivos como cárceles e imponen el aserramiento de manos como escarmiento para cantantes populares, él casi no hace otra cosa que ver a su ex novia llorar. No es algo que se proponga. No tiene otro remedio: si los cinco meses de su noviazgo han sido el gran acontecimiento sentimental del primer año del colegio secundario –cinco meses blancos, por otra parte, como es de esperar de una chica chilena de familia católica de derecha y un argentino fruto de una pareja de dubitativos pioneros del divorcio, trémulo y paciente, para quien el deseo, además, empieza a ser no un impulso sino la fase terminal, menos buscada que inevitable, de un proceso de saturación que si fuera por él podría durar meses, años, siglos–, la ruptura, y sobre todo el modo brutal en que él ha decidido consumarla, cuando nada en la relación ni en él mismo, hasta entonces de un comportamiento intachable, la ha hecho prever, no pueden no caer como una bomba y ocupar el centro de la escena. La ve llorar en el recreo debajo de la escalera, en cuclillas, cercada por un cordón de amigas que amplifican su condición humillada en un rosario de gestos ampulosos; en el laboratorio de ciencias naturales, vertiendo lágrimas en el saco ventral del sapo que algún compañero piadoso ha aceptado despanzurrar en su lugar; en el comedor, frente a un plato de pastel de papas que se enfría; en medio de una clase de gimnasia, donde, cegada por un acceso de llanto que la sorprende mientras toma carrera, termina llevándose por delante la barra que debería haber saltado; al salir del colegio, cabizbaja, mientras camina hacia al auto arrastrando por el piso el cuero carísimo de una valija vacía como su corazón. La ve llorar incluso cuando no la ve, cuando ella falta a clase sin aviso y alguien, uno o una de los que antes martirizaban con alfileres secretos la foto de ese romance descaradamente longevo, le dice que dicen que ya no come ni duerme, que de tanto moquear y sonarse tiene las ventanas de la nariz rojas, ásperas como la lengua de un gato, y que sus padres, pensando en matar dos pájaros de un tiro, ya especulan con volverse a Santiago, donde el Palacio de la Moneda ha dejado de humear y una hiena de uniforme, bigotes y anteojos ahumados manda fusilar gente sentada en el mismo sillón de donde eyectaron a Allende.

Después, de golpe, durante un tiempo, no tiene noticias. «No tiene noticias» quiere decir que ella vuelve al colegio, que él la ve, que se cruzan otra vez en el patio, la cantina, el laboratorio, el campo de deportes, pero que ya no hay rastros en ella del calvario que dos o tres días atrás, según las noticias que mensajeros quizá no del todo confiables llevaban al colegio desde el piso fastuoso donde flamea la bandera chilena, la confinaba

94

a una especie de coma amoroso y obligaba a embarcarla entubada rumbo a Santiago en un charter que revienta de fascistas ávidos de revancha. [...] Una tarde él hace cola frente al kiosco y mientras busca en la miscelánea de clips, botones, capuchones de birome y cospeles de subte que tiene en la palma de la mano la moneda traidora que le había prometido un alfajor y ahora se lo niega, demorada en el doble fondo de algún bolsillo descosido, siente que alguien lo atropella de atrás —la avalancha típica del hambre vespertina— y se vuelve en un pico de ira, dispuesto a todo, y descubre su cara blanca, impecable, apenas sombreada de rosa, como rejuvenecida por una lluvia benéfica, y sus ojos claros y sonrientes mirándolo desde la altura, desde esos ocho centímetros que le saca y que él siempre ha aceptado como un canje justo, en pago por los dos años que le lleva él. Ella señala la turba que forcejea a sus espaldas en la cola y se disculpa, irresistible como el día en que la vio por primera vez, «bella», piensa él, «como una mañana de sol después de una noche de tormenta», y luego lo saluda con una magnanimidad de diosa o de muerta, y a él se le caen las monedas, todas las monedas, incluida la que se le ha estado retaceando, que acaba de encontrar y que ahora tintinea contra el piso y rueda y desaparece bajo los quinientos kilos de chapa del kiosco. «No tiene noticias» quiere decir que por un tiempo todo sigue así, en ese extraño equilibrio de mundos paralelos invertidos –ella restaurada pero decorosa, orgullosa de su resurrección pero incapaz de regodearse en ella, él perplejo, cada vez más hundido en la ciénaga de su triunfo– que sólo parece hacer impacto en él, porque cada vez que lo somete a la consideración de algún tercero, la única respuesta que obtiene son hombros que se encogen, asentimientos de compromiso, muecas desinteresadas, así hasta que uno de sus mejores amigos, uno de esos pícaros que acumulan prestigio a fuerza de sumar amonestaciones y llevarse materias a examen, lo embosca una mañana de lluvia en el recreo de las diez y veinticinco y temblando, con las ojeras de un heroinómano terminal y los dedos teñidos de nicotina, le cuenta, prácticamente le vomita encima que sale con ella desde hace dos semanas y que su vida desde entonces, pendiente las veinticuatro horas del día de las atenciones, las gracias o apenas las miradas que ella, fría como un témpano, sólo le concede esporádicamente, cuando se cansa y accede a distraerlas de los mil brillos que las cautivan, el gremio entero de varones del planeta en primer término, es una pesadilla sin nombre, y aferrándose a las solapas raídas de su *blazer* le suplica por Dios, con ese mal aliento característico de los que están tan enfrascados en el sufrimiento que se olvidan de comer, por Dios que le diga cómo, cómo diablos hizo él, que estuvo con ella la eternidad de cinco meses, cómo hizo para no sufrir y cómo, por Dios, para dejarla. De modo que ahora la que llora no es ella sino él, su amigo, que no tiene la menor experiencia en la materia y a quien pronto empieza a ver a diario en el patio, en los pasillos, en la cantina, no caminando sino arrastrando los pies, encorvado como un signo de pregunta, la cara hundida en un pañuelo que al cabo de un par de semanas ni siquiera debe molestarse en sacar de un bolsillo o en guardar y que ya no renueva, a tal punto, a fuerza de usarlo para enjugarse los ojos, vaciarse de mocos la nariz o simplemente ocultar su estampa patética al escarnio de los otros, parece una extensión viscosa de su cuerpo.

Es el segundo gran acontecimiento político de su vida. Ahora él no es el que llora: es el que hace llorar. Primero a su novia chilena, que gracias al gozne extraño del llanto ha pasado al parecer de mosquita muerta a vamp, a mujer literalmente fatal; después, porque aunque es indirecta la causalidad salta a la vista, a uno de sus mejores amigos, el único que hasta entonces jamás ha sufrido por amor, que dos o tres semanas más tarde, fantasma, sombra triste del candidato a maleante que se ha jactado de ser desde que lo conoce, lo persigue a sol y a sombra para preguntarle ya no cómo hizo para no sufrir con la chilena, ya no cómo para dejarla él a ella, sino por qué, por qué, al dejarla, lo ha condenado a él a esa especie de insolación de dolor que parece no tener fin ni consuelo y que lo está volviendo loco; y muchos años después, cuando el episodio Allende ocupa ya su lugar en el nicho, exiguo pero influyente, asignado a las tragedias históricas de las que siempre lo recuerda todo con exactitud, en particular fechas, nombres, secuencia de hechos, cifras, todo lo que sistemáticamente olvida de las tragedias personales, y el incidente de la novia chilena, eclipsado por la envergadura de la tragedia histórica, se ha evaporado como por arte de magia años después, cuando ya el llorar mismo no parece ser un problema para él, hace llorar también a una mujer a la que conoce un verano en una ciudad extranjera, a cuyo departamento se muda apenas se extinguen los días de hotel que le pagan sus anfitriones y de la que se enamora casi sin darse cuenta, como en un sueño, con la misma rapidez irremediable con que se le hace evidente hasta qué punto todo es y será imposible entre ellos. Es de día y están en la cama, desnudos. Agobiado por un calor que lo sofoca por partida doble, porque las pocas veces que ha estado en esa ciudad ha sido siempre invierno, él pregunta si hay algo para tomar. Ella libera una pierna de entre las sábanas y planta un pie en el piso, y cuando toma impulso para incorporarse y la tensión le dibuja el largo paréntesis del gemelo en la pantorrilla, él, asomado al borde de la cama, el mentón apoyado sobre el pedestal de sus dos puños encimados, la contempla como desde un mirador y se deja conmover de nuevo por el modo en que esa pierna deja atrás el recodo escarpado de la rodilla y enflaquece y se aniña y parece protestar en vano por el peso que la obligan a cargar, que ella asocia, según le ha dicho, con una propensión de la rama familiar femenina al raquitismo, es decir, en sus propias palabras, «a la pata de tero», y él, en cambio, con el moño inmenso, de un anacronismo prodigioso, cuyas puntas sobresalen a los costados de la cabeza en la foto de infancia que ella termina regalándole y él pierde más tarde en una mudanza, y de pronto se detiene en una zona que brilla, un claro donde la piel se alisa en una superficie demasiado tersa, sin poros, ni pelos, ni accidentes, parecida a un parche de papel, más oscura que la piel o más reluciente, según le dé la luz o la ignore, y extiende una mano y la roza con los dedos en silencio, y ella balbucea, aunque no ha pretendido hablar, y rompe a llorar. *Vamos, contame, decime.* ¿Es el modo en que la rozan sus dedos, los mismos que durante años pulen los azulejos de las piletas de Embrujo, de Pretty Polly, de Sunset? ¿Es la cicatriz, que conserva en cuatro centímetros cuadrados de membrana muerta, intacto, el dolor que ella cree haberse acostumbrado a olvidar? ¿Es ella, ex erpia –según el nombre que ella misma no tarda en contarle, riéndose, que les daban sus carceleros a los miembros del Ejército Revolucionario del Pueblo–, que no sólo ha sobrevivido a lo peor sino que hace un uso de su cuerpo que envidiarían las mujeres más despreocupadas y saludables de la tierra, pero al mismo tiempo vive esclava de esa cicatriz, atormentada por un pedazo de piel ciega que debería aislarla del mundo y sin embargo, en contacto con otro cuerpo, no hace más que despellejarla, abrirla al medio? La hace llorar, hace llorar a la erpia, como le confiesa ella que tarde o temprano terminan llamándose a sí mismos todos, ella y los erpios como ella que comparten la cárcel cordobesa de la que algunos, ella, por ejemplo, deportados, tendrán la suerte o los medios de salir, y en la que la mayoría envejecerá, le roza la cicatriz y la hace llorar, y es tal el trance en el que lo hunde la comunión del llanto que le importa poco, durante los cinco días que vive, come, bebe, baila, se saca fotos en los fotomatones del subte y duerme con ella, no poder penetrarla, no poder acabar nunca adentro de ella, no poder gozar ni escucharla gozar. Piensa: «No me toca a mí entrar; me toca estar cerca.» Piensa: «Hacerse uno con el dolor es volverse indestructible.»

[...] Una tarde su madre debe salir, la señora que trabaja en la casa por horas no ha venido, imposible contar con el portero –odia a su madre,

100

odia sus aires, sus modales, la cúspide inalcanzable desde la que parece contemplar un barrio por el que si no fuera por razones de necesidad ni siquiera condescendería a caminar– y los abuelos derrochan en un silencioso intercambio de hostilidades una preciosa semana de vacaciones en el Hotel Sierras de Alta Gracia, Córdoba, a menos de dos horas y veinte años de donde la erpia termina volviéndose erpia y el cabo de la policía que por azar obtiene el dato que da lugar a la redada que la mete presa celebra un ascenso que no esperaba dejándole la pierna marcada para siempre. Sin esperanzas, porque son las tres de la tarde y mal puede imaginarse a un militar en casa a las tres de la tarde de un día de semana, su madre toca el timbre del departamento del vecino y espera. Él la ha seguido hasta el palier en su triciclo y espera en actitud de alerta, el pie derecho apoyado en el pedal en alto y las dos manos en el manubrio, como dispuesto a huir o a cargar contra cualquier cosa que se interponga en su huida. Su madre está por rendirse cuando oye una llave que hurga en la cerradura y la puerta se abre apenas, lo máximo que permite la cadena del pasador. ¿Es él? ¿Es el vecino? Desde su posición, cerca de la puerta de su casa, él no llega a distinguirlo, pero huele la nube de perfume helado que brota por la puerta entreabierta y se apodera del aire del palier y ya empieza a crepitarle en la boca y la

toma como una prueba cabal, mucho más ine-
quívoca que la imagen de su rostro o que su voz.
En el afán de explicar la situación, su madre se
enreda en frases ansiosas, que alcanzan unos cli-
max prematuros, siempre a mitad de camino, y
luego desfallecen. ¿Pidiendo otra vez? ¿Una deuda más? ¿Con qué piensa pagarla? Él baja los pies,
se para, levanta apenas el triciclo y manteniéndo-
lo suspendido diez centímetros sobre el piso se
adelanta un metro y medio con pasos decididos.
«Es un rato, nada más», dice su madre, abriendo
los brazos en señal de impotencia, y se vuelve y lo
mira con una expectativa perentoria, como esperando que haga un puchero, o tosa como un tísi-
co, o exhiba una destreza irresistible, algo en todo
caso que resulte un poco más conmovedor para el
vecino que el bigote de cacao, las costras rojizas
que los resbalones suelen dejarle en las rodillas, el
reloj que a duras penas lee y le baila en la muñeca
derecha, los zapatos ortopédicos.
    No podría decir cómo, porque su madre si-
gue debatiéndose entre la vergüenza y la urgencia
y el vecino, si es que está ahí, si es que no ha instalado en el departamento, como se le ocurre pensar
a él en un rapto de perspicacia demente, alguna
máquina de fabricar ese inmundo perfume de
menta o cedro o sándalo que hace las veces de él y
se activa sola, cuando algún forastero toca el timbre, jamás dice nada ni se digna mostrarse duran-

te los cinco o seis minutos que dura la negociación, pero llegan a un acuerdo y al cabo de un rato, tan pronto como su madre, a las tres y diez de la tarde, ha terminado de vestirse y maquillarse como para una gala nocturna y él, encerrado en su pieza, ha reunido en el bolso de Pan Am con el que su padre acaba de pagar alguna reciente impuntualidad una provisión de historietas, autos en miniatura, blocs de dibujo, crayones, soldados y galletitas dulces suficiente para pasar un verano entero en una isla desierta, salen otra vez al palier, donde su madre cierra la puerta con llave, llama el ascensor y mientras lo espera le da un empujoncito en el hombro, un gesto que es mitad un estímulo, mitad un consuelo, según lo interpreta él, si es que eso que a su edad hace con los signos que emite el mundo puede ser llamado interpretar, y con la inercia de ese impulso original, porque jamás pedalea en el trayecto, él llega en el triciclo hasta el departamento vecino, el bolsito Pan Am colgado del manubrio, y atropella suavemente la puerta con la rueda delantera. [...] Espera con las manos en el manubrio, mirando fijo la ranura circunfleja de la cerradura. Al cabo de unos segundos, empujándose con los pies, vuelve a embestir la puerta con la rueda del triciclo. Recién cuando la luz del palier se apaga con un crujido y lo deja en la oscuridad más absoluta se da vuelta y descubre que está solo, que si su madre está y vive en al-

gún lado es en ese lugar despiadado, a la vez cerca-
no e inaccesible, donde no puede verla pero del
que le llega, sin embargo, el eco puntual y como
amplificado de todo lo que hace, todo lo que la
aleja cada vez más de él, cerrar las dos puertas de
reja del ascensor, cruzar a toda velocidad el hall
del edificio, abrir y, con la mirada lanzada hacia la
calle para capturar el primer taxi que pase, dejar
que se golpee con estrépito la puerta de calle. Es
tal su sorpresa al comprobar que está solo en la oscuridad, tal el desconcierto que le produce no haber registrado, mientras se producían, las señales
sucesivas de la desaparición de su madre, que de
pronto, mientras mira en dirección al ascensor,
ahora subsumido en las tinieblas del pasillo, le parece verla de nuevo, a la vez en el pasado inmediato y en el presente, recortada contra el fondo
luminoso del ascensor que acaba de llegar, despi-
diéndolo con una mano que barre algo invisible
en el aire con el dorso de los dedos. Ve lo que no
ha visto, lo que ha sucedido a sus espaldas, lo que
quizá no ha sucedido nunca, y lanza otra vez la
rueda del triciclo contra la puerta del vecino.
    Lo que le queda de esa primera vez es lo poco
que hablan. Porque por fin el vecino abre la puerta
y él entra con el triciclo, ahora pedaleando, y se estaciona un centímetro antes de que la rueda muer-
da el borde de una alfombra desflecada, en medio
de un living pequeño, casi tan oscuro como el pa-

lier, abarrotado de muebles viejos que cabecean como personas dormidas en una sala de espera. Las persianas están bajas y las cortinas cerradas; un televisor emite un resplandor mudo y parpadeante desde un ángulo de la sala, enfrentado a un sillón en uno de cuyos brazos cree ver una especie de cenicero negro en ele. Él se queda mirando las formas que se mueven en el cubo de luz grisácea —gente que empuja un auto con un cajón en medio de un océano de gente que camina muy despacio y llora— hasta que siente al vecino pasar por detrás —la estela de perfume le abofetea suavemente la espalda—, avanzar por un pasillo lateral y empujar una puerta que rechina. Él gira la cabeza. Por la puerta que ha quedado entreabierta lo ve de pie, de perfil, lo ve bajarse los pantalones, sentarse en el inodoro y mear largamente, con los codos en los muslos y la cara hundida entre las manos, como si llorara. Pero aun si llorara y si llorara así, sentado, sin moverse y sin parar durante días y días, jamás lloraría lo que llora la multitud que acompaña el automóvil y el cajón que ese cortejo de media docena de hombres empuja bajo la lluvia en la pantalla del televisor. Se baja del triciclo, y mientras reconoce por primera vez el parentesco que liga el movimiento que acaba de hacer con el que ha visto que hacen los vaqueros del oeste al desmontar sus caballos, al que a partir de entonces se aboca con plena conciencia, aprovechando toda ocasión para ensayarlo y llevarlo a la perfección, hasta que alguien, sin duda un adulto, viéndolo bajarse un día del triciclo, le aconseje con la mejor de las intenciones, probablemente para caerle bien, que lo ate al palenque si quiere evitar que se le escape y él decide entonces que las cosas vuelvan a su lugar, el triciclo al lugar del triciclo y los caballos al de los caballos, de donde jamás tendrían que haber salido, y pasar a otra cosa, cruza la alfombra haciendo crujir el piso y va hacia el televisor para subirle el volumen. Pero el vecino, que ha vuelto, le dice que no, que no toque el aparato, y después de eludir dando una zancada el triciclo cruzado en medio del living se deja caer en el sillón. Eso es todo lo que dice durante ¿cuánto?, ¿una hora y media?, ¿dos?, ¿tres horas?, un lapso que en todo caso excede cómodo lo que daría a entender el «rato» prometido por su madre. A él le basta de todos modos para notar hasta qué punto el timbre de la voz del vecino, que hasta entonces siempre le ha pasado inadvertido, quizá velado por el efecto de autoridad de signos más evidentes como el uniforme, o más bien la camisa verde oliva, que, pensándolo bien, es la única pieza del uniforme que le ve puesta y usa siempre abierta sobre una musculosa blanca, o el bigote, o el pelo cortado al rape, suena demasiado débil para la orden que acaba de impartir, y apenas lo ve hundirse en el sillón, entregar su cuerpo súbitamente empequeñecido a esa cavidad agigantada por la penumbra, se le ocurre que quizás haya alguna relación entre eso que lo sorprende de la voz y la agilidad de animal invertebrado con la que acaba de sentarse. Algo –pero ¿qué? No es sin embargo esa tendencia al laconismo, a menudo rayana en la introversión o incluso la hostilidad, lo que le llama la atención cada vez que le toca pasar «un rato» con el vecino militar, generalmente por la tarde, el momento del día más propicio, al parecer, para que su madre programe las emergencias elegantes que no tardan en solicitarla con una frecuencia cada vez mayor y de las que la ve volver desencajada, envuelta en un silencio hosco, con la tinta del delineador ligeramente corrida, sin fuerzas siquiera para pelar la manzana que se lleva a la cama, lo único que comerá esa noche. Nunca ha asociado los uniformes con el gusto por las palabras. [...] Pero siempre que la puerta del vecino se abre y él entra con el triciclo a modo de ariete, erguido con cierta solemnidad, como si accediera al interior de una fortaleza que se hubiera pasado años contemplando desde afuera, lo asombra que el cuerpo del vecino le resulte más pequeño de lo que era en su recuerdo, más menudo y sobre todo más vivaz, más maleable, y también que todo lo que sucede en esos «ratos», que es más bien poco y consiste básicamente en que el vecino militar sigue en lo que estaba cuando lo sorprende el impacto sordo de la rueda de caucho del triciclo contra su puerta –fumar, mirar televisión, hablar por teléfono, plancharse el uniforme, escribir cartas a su familia, estudiar mapas, limpiar el arma reglamentaria que él la primera vez ha tomado por un cenicero, quedarse dormido en el sillón, mientras él se limita a mirarlo hacer en silencio, a cierta distancia, como si le tocara aprender algo–, tenga la misma cualidad de extrañeza que el espacio donde esas insignificancias suceden. Porque el departamento del vecino es idéntico en tamaño y disposición al departamento en el que vive él, pero si nunca deja de desconcertarlo es porque todo lo que él encuentra allí repetido lo encuentra al revés, dispuesto en sentido inverso, de modo que lo que allá está a la izquierda acá está a la derecha, lo que allá es pura luz acá es penumbra, lo que allá es circulación acá es pared, lo que allá piso de madera acá baldosa y viceversa, y cada vez que él, dando por sentado que los dos departamentos son iguales, baja la guardia y pretende moverse a ciegas, dejándose guiar por la experiencia que tiene de su propio espacio, el departamento del vecino lo embosca sin clemencia, enrostrándole una puerta donde esperaba que no hubiera nada, o el aire, el vértigo del aire, donde tanteaba confiado en busca de un picaporte.

La penumbra. También eso, si lo piensa un poco –la penumbra, que de recortar muy a grandes rasgos los contornos de las cosas pasa, con el avance de la tarde, a difuminarlos, perdiéndolos en la confusión que tarde o temprano lo invade todo. Más de una vez, intrigado por el rostro o la casa o el paisaje que le parece notar a la distancia enmarcado y colgado de una pared, espera a que el vecino reanude sus tareas y no bien lo ve otra vez en lo suyo, tan ensimismado que podría jurar que no está allí, ante él, y que el cuerpo que él ve ligero y flexible y puede intuir si quiere cerrando los ojos, con sólo aspirar la aureola de fragancia boscosa que lo envuelve, es una ilusión, una réplica destinada a engañar y apantallar sus verdaderas actividades, que sin duda lleva a cabo en otra dimensión, lejos de cualquier mirada inoportuna, se baja del triciclo y rumbea hacia la pared para examinar la foto o el cuadro de cerca, pero cuando llega la luz ha cambiado tanto que la figura, no importa lo que represente, se ha vuelto indiscernible. Porque piensa bien o porque quiere consolarse, termina deduciendo que nada de todo lo que ve en el departamento —si ver es la palabra para nombrar la acción que da lugar a esas imágenes que con el correr del tiempo, a medida que las visitas se multiplican, parecen brotar más de su costumbre o su imaginación que del contacto entre sus sentidos y el mundo—, ni los viejos sillones desfondados, ni el juego de comedor de estilo, con su prole mixta de sillas legítimas y sillas bastardas, ni el biombo que acumula polvo plegado detrás del televisor, ni las cortinas siempre corridas, ni la araña de caireles que cuelga torcida, ni los retratos enhiestos sobre el bayut, nada, y menos que nada los objetos que a simple vista parecen más personales, nada es en rigor del vecino, nada ha sido elegido por él, nada comprado o atesorado o heredado o eventualmente hecho por el hombre que se deja caer en el fondo del sillón, cruza las piernas casi sin separarlas, frotando los muslos entre sí, y sólo parece entreabrir los ojos cuando pita y la brasa del cigarrillo le ilumina la cara. Y sin embargo, ese desconocido del que nunca llega a saber siquiera el nombre y que, como un intruso en su propia casa, restringe sus movimientos a una sola área, cocina, baño, living, y una sola serie de objetos, teléfono, mesa de planchar, termo, mapa, arma reglamentaria, los únicos que al parecer le están permitidos, a tal punto que todo lo demás, lo que queda fuera del campo autorizado, no sólo no lo usa sino que evita incluso rozarlo, como un soldado que atravesara un campo sembrado de minas —ese desconocido es el que acepta asilarlo, el que le da lugar y le permite dejar huellas en un lugar que él mismo por poco no se pone guantes para tocar, y el que a cada visita, tan pronto como le franquea la entrada y él, después de avanzar un metro y medio con el triciclo, se detiene y prepara las manos volviéndolas palmas arriba sobre el manubrio y lo espera, le roza las yemas de los dedos como si le midiera el grosor de la piel, el grado de erosión que los sábados en Pretty Polly o New Olivos le infligieron, la distancia que separa en su cuerpo el exterior del interior, el umbral del dolor.

Eso es lo único que tiene para denunciar, en todo caso lo único verdadero, lo único que en efecto ha tenido lugar, si a él, el día menos pensado, se le ocurre poner al vecino militar en la picota y, amparado en la extravagancia por lo menos sospechosa de esas ¿cuántas?, ¿cincuenta?, ¿cien?, ¿doscientas horas de intimidad pasadas con un perfecto extraño?, le zampa de buenas a primeras una acusación de abuso. Eso —¿y qué más? ¿La sopa que el vecino toma de un tazón que sostiene con las dos manos, casi tiritando, como si ensayara una escena de intemperie, y que en su afán de convidar le acerca hasta la boca, rozándosela con el reborde de loza? ¿El día en que el vecino decide coserse el forro de la chaqueta del uniforme y lo usa de asistente y le cuelga el centímetro del cuello y le enseña a presentar los alfileres entre los labios? ¿La tarde en que el vecino se ducha con la puerta abierta y con una voz cuya dulzura vuelve a hechizarlo canta, velado por la cortina opaca del baño, «Ora che sei gia una donna» de Bobby Solo? ¿O cuando le pide que recoja y se deshaga de todas las medialunitas de uñas que acaba de cortarse en el bidet con una tijera en miniatura, la misma que usa su madre para cortárselas a él y hacerlo llorar, la misma en cuyos ojales más de una vez su abuelo, menos para cooperar que para ahorrarse la voz de su hija quejándose del trabajo que le da criar un hijo sola, ha querido en vano meter sus dedos gigantes? ¿O el sueño —el sueño que el vecino sueña una tarde en su presencia, en vivo, hundido en el sillón, y que al despegar los párpados, no al despertar, porque quién que oiga la voz con la que habla, que viene de cualquier lado menos de la vigilia, puede decir que se ha despertado, se pone a contarle?

«Pasaba en el futuro. Éramos cuatro, yo con una peluca rubia y tres compañeros, todos de uniforme. Insignias, gorras, pantalones, medias, toda la ropa la habíamos comprado en una sastrería militar. Íbamos a secuestrar a un famoso fusilador del ejército para juzgarlo. El plan era ir a su casa a ofrecerle custodia y llevárnoslo, y si se resistía matarlo ahí mismo. Subíamos, era en un octavo piso, nos atendía la mujer y nos ofrecía café mientras esperábamos que el tipo terminara de bañarse. Al fin aparecía y tomaba café con nosotros mientras le hacíamos la oferta de la custodia. Después de un rato nos parábamos, desenfierrábamos y le decíamos: "Mi general, usted viene con nosotros." Bajábamos, nos subíamos a un auto, después cambiábamos el auto por una camioneta donde había otros dos compañeros disfrazados, uno de cura, el otro de policía, y después cambiábamos y tomábamos otra camioneta, una con toldo, y salíamos a la provincia y llegábamos a un casco de estancia donde lo juzgábamos. Un compañero le sacaba unas fotos, pero cuando quería sacar el rollo de la cámara se le rompía y había que tirarlo. Le hacíamos las acusaciones y el tipo casi no respondía. No sabía qué decir. En un momento pedía papel y lápiz y escribía algo. Lo atábamos a la cama. A la madrugada le comunicábamos la sentencia. Nos pedía que le atáramos los cordones de los zapatos y si se podía afeitar y un confesor. Quería saber cómo íbamos a hacer desaparecer su cadáver y qué iba a ser de su familia. Lo llevábamos al sótano, le metíamos un pañuelo en la boca, lo poníamos contra la pared y le tirábamos al pecho. Le dábamos dos tiros de gracia y lo tapábamos con una manta. Dos hacían el pozo para enterrarlo, pero nadie se animaba a destapar el cadáver.»

Pero a quién, a quién va a denunciar, si llegado el caso ni siquiera sabe su nombre. A quién, si lo único en firme que cree tener, lo poco que se atreve a dar por seguro, es justamente lo que más pies de barro termina teniendo, el departamento de Ortega y Gasset en el que vive, por ejemplo, alquilado bajo un nombre que resulta falso, del que un buen día se hace humo, lleván-

dose sólo lo que traía al llegar y dejando meses
de servicios impagos, o su condición de militar,
que él ha puesto en duda desde el principio, desde que bajan juntos en el ascensor y le detecta la
falla en el uniforme, o incluso su bigote, que la
tarde del sueño, mientras duerme y sueña en su
presencia, se le suelta y va deslizándose por la
piel suave hasta quedar encallado sobre los labios, tachadura fraudulenta que se estremece
como una pluma con cada ronquido. No, no lo
denuncia, y aun si la idea se le ocurre, ya escan-
dalosa en su incongruencia pero todavía de una
extraña intensidad, ya no puede: es demasiado
tarde. Con el tiempo, las estadías en lo del vecino militar se van disolviendo sin remedio en la
nube oscura, expansiva, sin contornos interiores,
con la que tiende a confundirse en la memoria su
niñez, toda su niñez, incluido en primer lugar
todo lo que, en el momento mismo en que lo experimenta, él se jura y perjura que va a recordar
siempre, el departamento de Ortega y Gasset, el
nombre del portero, los párpados de su madre
descansando bajo unos discos de algodón encre-
mados, el pulpo que busca presas con sus ten-
táculos en el fondo de la pileta de Embrujo, el
reloj de bolsillo que su padre usa pero se cuida
muy bien de consultar en público, el traje de Superman que le chinga, las astillitas de vidrio en
las palmas de las manos [...] y la figura del vecino

114

militar tiembla, pierde consistencia, termina dejándose ver, en las rarísimas ocasiones en que se deja ver, como objeto de una vaga misericordia, encarnado, por ejemplo, en la figura de uno de esos solitarios provincianos de uniforme que, recién llegados a la capital, sin familia y casi sin conocidos, mareados por una ciudad monstruosa que no les entra en la cabeza, esperan en un banco de plaza a novias que ya los abandonaron mientras sueñan con la redención que les promete una carrera militar.

A los catorce está entregado a una rapacidad marxista que no deja títere con cabeza: Fanon, Michael Löwy, Marta Harnecker, Armand Mattelart, la pareja Dorfman-Jofré, que le enseña hasta qué punto Superman, el hombre de acero que siempre ha idolatrado, que aún idolatra en esa especie de vida segunda, ligeramente desfasada, que corre paralela a la vida en la que se quema las pestañas con el pensamiento revolucionario latinoamericano, es en verdad incompatible con esa vida y uno de sus enemigos número uno, enemigo disfrazado y por lo tanto mil veces más peligroso que los que aceptan que un uniforme los delate como tales −sin ir más lejos, porque la catástrofe ha sucedido hace apenas un año y está fresca, los carniceros que prenden fuego al Palacio de la Moneda de Santiago, que de sede de gobierno pasa a tumba de la vía chilena al socialismo. A los catorce es tan incapaz de dar el paso y entrar en la acción política como de apartar los ojos de todo aquello que la celebra a su alrededor, imágenes, textos, periódicos, libros, testimonios en primera persona, narraciones noveladas, versión vibrante, llena de sangre, pólvora y coraje, de todo lo que se despliega con severidad pontificial en las páginas de Theotonio dos Santos, André Gunder Frank o Ernest Mandel, y nada lo impacienta más, nada lo pone más en vilo que esperar todos los primeros martes del mes, cuando sale la nueva edición de su revista favorita, *La causa peronista*, órgano oficial de la guerrilla montonera, el momento de correr al kiosco de la vuelta de su casa y llevarse el ejemplar que el kiosquero se ha comprometido a reservarle. No tiene novia, la chica chilena que después se venga martirizando hasta las lágrimas a uno de sus mejores amigos no ha tenido reemplazante, pero aun si la tuviera, la inminencia de una cita de amor sin duda no lo encresparía tanto como lo encrespa la víspera de la aparición de cada nuevo número de *La causa peronista* con sus tipografías erráticas, su modesta bicromía, su gráfica de pasquín, sus interlineados defectuosos, las únicas veleidades estéticas, por otro lado, que parecen tolerar el voluntarismo de sus partes de situación, sus caracterizaciones de la coyuntura, sus crónicas de las luchas populares, sus comunicados, sus relatos de triunfos sindicales, tomas de fábricas, copa-

116

mientos, sus fotos de héroes, de mártires, de ver-
dugos. Cada primer martes del mes se despierta de
madrugada para ir al colegio y ya tiene los dientes
y la mandíbula resentidos, agarrotados por el dolor de los que, impacientes, han dormido mordiendo toda la noche. Se viste con una torpeza en-
tumecida, como si ni el contacto de sus pies
desnudos con las baldosas del baño, ni el sabor pi-
cante de la pasta dental, ni el agua fría alcanzaran
para despabilarlo. Empieza cosas que nunca termina. Le sudan las manos, se le acalambra el estómago, bosteza sin motivo. Los síntomas, que lo
atormentan a lo largo de todo el día, recién ceden
hacia las ocho de la noche, cuando se rinden a una
especie de hormigueo eufórico que, sea lo que sea
lo que esté haciendo, siempre mal, por otro lado,
siempre con la cabeza en otra parte, en la cuenta
regresiva que no para de hacer desde que se ha le-
vantado de la cama, lo obliga a escapar de su casa
rumbo al kiosco. [...] No, aun cuando compartan
cierto aire de familia, no es la misma excitación
que siente cuando emprende lo que sólo para sus
adentros, a tal punto lo avergüenzan, se atreve a
llamar «acciones», cuando por ejemplo, a modo
de contribución para el periódico del partido, le
entrega un buen porcentaje del estipendio sema-
nal que le da su madre al hermano mayor de un
amigo, un estudiante de medicina bastante anti-
pático al que apenas conoce pero ya admira sin re-

117

servas porque ha abrazado el credo trotskista y roto, como en su momento, quizás, el oligarca torturado, con una familia acomodada pero algo venida a menos, o cuando sale del colegio y echa su vistazo de siempre, cargado de orgullo y de fruición retrospectivas, al acceso lateral de la planta de la Fiat por donde entraba uno de los máximos ejecutivos de la empresa, de apellido Salustro, antes de que un comando erpio lo secuestrara y liquidara de tres tiros en el extremo oeste de Buenos Aires, o cuando, esperando el ómnibus, nunca el *ónigo*, para volver a su casa, desafía al policía que custodia la esquina del colegio con una bravuconada sigilosa, palpar con sus yemas al rojo el ejemplar del *Manifiesto del partido comunista* que lleva disimulado en el cuaderno de ciencias biológicas. Es más, mucho más que eso. Es tanto más que eso que se acercan las ocho y entra en una dimensión de opresión física. Tiembla, se le seca la boca, el corazón se le acelera. ¿Es política eso? ¿Es sexo? No es la acción, no es sólo la ilusión de sumarse, comprando la revista, a la clandestinidad de la guerrilla montonera, una condición cuyos atractivos, aunque intensos, se disipan de manera irremediable siempre que ve que el kiosquero le entrega *La causa peronista* con la misma sonrisa de despreocupación bovina con que entrega un semanario deportivo, una revista de labores o el último fascículo escolar –no es eso lo que lo excita así, lo que lo aísla en esa especie de microclima febril, a la vez insalubre y embriagador, en el que los ardores que experimenta de muy chico, cuando descubre en un tomo de la enciclopedia *Lo Sé Todo* las viñetas que reproducen las escalas más sublimes de la pasión de Hércules –Hércules abrasado por la túnica envenenada que Neso ha confeccionado para vengarse de él, Hércules ardiendo para siempre en la pira–, fermentan ahora en un mismo caldo con los que le despiertan los portentos de la lucha revolucionaria –la historia del arsenal militar expropiado en un operativo comando, por ejemplo, con su cuota igualmente inevitable de caídos y bajas enemigas, o el jefe de policía que paga su vieja pasión por el tormento volando en pedazos por el aire– y los que lo estremecen algunas mañanas en que se finge enfermo para quedarse en casa y desde la cama oye cerrarse la puerta de calle, señal de que tanto su madre como el marido de su madre han salido, señal de que no hay obstáculos que se interpongan entre él, que ha estado esperando esa señal desde que se ha despertado, y las revistas pornográficas que el marido de su madre esconde en el armario del dormitorio, entre los pulóveres ingleses que guarda envueltos en sus fundas de plástico originales. Ya no es estar cerca, no, lo que lo pone al límite de sus fuerzas. Es la inminencia de leer. Y así sale de su casa como una exhalación, pensando que sale no al mundo exterior sino al anexo más o menos público del horno malsano y voluptuoso en el que empieza a consumirse, con las ojotas y la ropa casi de ciruja que usa en verano, cuando permanece encerrado en su cuarto todo el día, mal abrigado en invierno, sin medias, con las mangas del piyama asomando bajo la tricota escuálida. Una noche extraordinaria de invierno llega corriendo al kiosco y compra su ejemplar de *La causa peronista* –aunque comprar es un decir, porque lo que hay en vez del clásico intercambio de producto por dinero que los libros del economista trotskista Ernest Mandel le exigen interrogar hasta el fondo, hasta en sus resortes más ínfimos, de modo de desnaturalizarlo y acabar con la ilusión de que sus términos, siempre injustos, son fatales, es más bien el pacto tácito de incluir la revista en la cuenta familiar, donde a principios de cada mes *La causa peronista,* como a menudo también *Estrella roja* o *El combatiente,* órganos de prensa erpios cuyos partes de coyuntura, tan severos y científicos que los de *La causa peronista,* en comparación, suenan soñadores como fábulas picarescas, lee con atención y un entusiasmo más bien laborioso, como quien sigue el mejor curso de lucha armada por correspondencia, licúa su precio en el monto total al que asciende el consumo mensual de matutinos, publicaciones femeninas, revistas de actualidad perfectamente burguesas. [...] Casi sin aliento se aparta del

120

kiosco y se apoya un instante contra la vidriera de la confitería San Ignacio, menos para reponerse, en realidad, que para gozar ya, ahora, en el acto, del banquete de leer, a la luz amarilla que ilumina tortas, botellas de sidra, colecciones de masas secas, cajas de bombones de colores metalizados. Eso quisiera él, eso más que cualquier otra cosa en el mundo: que leer fuera lo único que ocupara todo el espacio del presente, que todas las cosas que suceden en el planeta en un mismo punto del tiempo fueran de algún modo tragadas al unísono por la acción de leer. [...] La claridad de la vidriera se derrama primero sobre la tapa de la revista, que anuncia eufórica la caída de un ministro en un restaurante familiar de suburbios, y después sobre una doble página cualquiera, abierta al azar de su voracidad, donde da con la foto que le hiela la sangre.

Es la primera mujer real que ve desnuda en su vida —no cuentan las chicas años cincuenta de las cartas de póker, no cuenta la mujer pintada de oro que James Bond descubre muerta en su cama en *Dedos de oro*, no cuentan las bailarinas del Crazy Horse de París que posan en *Oui*, no cuenta la negra con el sexo afeitado de *Penthouse*— y aun así, viéndola no sólo desnuda sino baleada, sucia de tierra, como si, ya muerta, la hubieran arrastrado boca abajo por el terraplén del destacamento militar donde cayó, según dice el epígrafe que acompaña la foto, y borroneada por la mala calidad de la impresión, que podría convertirla en un cadáver más, indigno de atención –aun así esa cara, la cara de la comandante Silvia, como la llama el epígrafe, le dice algo. Es algo que quizá no sea capaz de decirle a nadie más en el mundo, pero se lo dice en un idioma que él no ha escuchado nunca y que no entiende. Ahora está condenado a leer. Todo lo demás, autos, transeúntes, luces, se adormece en una especie de invierno nevado. Lee inmóvil junto a la vidriera. Cuando la encargada de la San Ignacio, ya sin uniforme, baja la llave general del local y prende los fluorescentes pálidos que seguirán iluminando la vidriera toda la noche, él se acerca aún más, como la boca sedienta al pico de la canilla que gotea, y pega la revista abierta perpendicular contra el vidrio, tratando de aprovechar hasta el último resto de esa luz lunar que convierte a las masas, las tortas, las cajas de bombones, en tristes sosías de manjares. Lee: infancia en la provincia de Tucumán, madre maestra, padre empleado del correo, visita de Evita y deslumbramiento, Revolución Libertadora y caída de Perón, padres presos, tío en la resistencia, mudanza a Buenos Aires, encuentro con Cooke, la clásica biografía de la que está llamada a vencer o a morir –y en un momento la luz es tan pobre, las palabras parpadean tanto, que cierra los ojos y sigue leyendo como imagina que leen los ciegos, rozando las frases con las yemas de sus dedos, hasta que un golpecito frío en el dorso de la mano, uno y después otro, y otro, y otro, lo obligan a detenerse. Abre los ojos. ¿Llueve? No: llora. Llora en la ciudad como llueve en su corazón. [...] No vuelve a ver la cara de la comandante Silvia hasta mucho más tarde, en la cama, cuando el golpe de una llave contra una morsa hace estallar el sueño sin imágenes en el que flota. Se despierta y la ve de un modo brutal, imposible, como si la durmiente del cuadro de Füssli se incorporara de golpe y pudiera ver el rostro bestial del súcubo contemplándola entre los dos paños de cortinado, y reconoce en ella al vecino de Ortega y Gasset, el militar, el abusador que le ha cantado al oído, le ha dado asilo, ha leído en los hollejos de sus dedos el secreto de su dolor, ha soplado dormido su propio bigote, el bigote falso que eligió llevar durante meses para, como dice la crónica de *La causa peronista*, entrenarse, prófuga de la justicia, en el arte de vivir clandestina en campo enemigo, el más difícil y elevado en el que puede aventurarse el combatiente revolucionario. Descubre al mismo tiempo quién es y que ha muerto. Tarde otra vez, demasiado tarde. Se pregunta si, de haberlo sabido antes, hubiera podido salvarla, si él y su triciclo y su bolsito Pan Am cargado con el repertorio de pasatiempos que no ha usado ni usará nunca y que termina, él también, cuando se asila en el departamento de enfrente, ocultando como una bomba de tiempo, hubieran impedido que la balearan, que la arrastraran boca abajo, como el pedazo de carne que es, para humillación y escarmiento de los prisioneros, por el terraplén del destacamento militar. Se pregunta qué habría sido de él, qué vida tendría, si la comandante Silvia lo hubiera tocado, si en vez de limitarse a ofrecerle el tazón de sopa le hubiera acercado una mano a la cara y metido dos dedos en la boca, si le hubiera hundido la lengua y explorado el lado de adentro de los labios, las encías, las paredes carnosas de la boca, si en vez de tenerlo ahí parado, con alfileres entre los labios y el centímetro alrededor del cuello, lo hubiera obligado a meterle una de sus manitos de niño abandonado hasta el fondo último, húmedo, de la concha. [...] Ya no llora. Siente una congoja seca, áspera, como si una espátula lo raspara por dentro. Es simple: no ha sabido lo que había que saber. No ha sido contemporáneo. No es contemporáneo, no lo será nunca. Haga lo que haga, piense lo que piense, es una condena que lo acompañará siempre. Pero ahora tiene al menos una prueba: su madre ya no podrá alegar que el episodio del vecino militar no ha sucedido.

Es muy tarde. La casa está amordazada por la oscuridad. Se levanta de la cama, recoge el ejemplar de *La causa peronista* y deja su cuarto. Cruza el largo pasillo oscuro que de chico, a tal punto lo aterra, parece no separar sino excluir su habitación del mundo. Aunque ya no tiene miedo, el método que usa –caminar rozando las dos paredes del pasillo con las palmas de las manos– es el mismo que descubre y pone en práctica a los seis, siete años, cuando la distancia que adivina que hay entre su cuarto y el resto de la casa es la misma que hay en las películas de ciencia ficción entre la cápsula que queda boyando en el espacio y la nave que acaba de expulsarla. Hace una ele, llega al cuarto de su madre, encuentra la puerta abierta. No lleva abierta mucho tiempo, como lo prueban la condición fresca del aire, que, recién removido, todavía vibra, y el cartel de No Molestar que oscila todavía colgado del picaporte, recuerdo de un hotel y un viaje y una felicidad que ya han entrado en la historia de lo que no se repetirá. Golpea igual, débilmente, menos para alertar a su madre que para justificar la osadía que emprende, y entra. Reconoce con los pies el tejido suave de una media, pañuelos de papel, un libro abierto boca abajo, anteojos que crujen, frascos con píldoras. Busca a ciegas la llave de luz, y cuando está a punto de prenderla oye la voz de su madre, una voz sofocada que parece venir desde muy lejos. «No quiero luz», dice. Se da cuenta de que está sola en la cama y se sienta en el borde y espera con la revista en la mano mientras la oye llorar en la oscuridad.